R. L. Stine

Gänsehaut

Doppelschocker 22

D0412743

DER AUTOR

R. L. Stine wurde 1943 in einem kleinen Vorort von Columbus/Ohio geboren. Bereits mit neun Jahren entdeckte er seine Liebe zum Schreiben. Seit 1965 lebt er in New York City, wo er zunächst als Lektor tätig wurde. Seine ersten Bücher waren im Bereich Humor angesiedelt. Seit 1986 hat sich R. L. Stine, der sein Büro mit einem Skelett und einigen afrikanischen Masken teilt, jedoch ganz den Gruselgeschichten verschrieben. 1992 kam für ihn mit der Kindergruselserie »Gänsehaut« der ganz große und weltweite Erfolg.

DIE SERIE

»Gänsehaut« ist Kult! Bisher in 16 Sprachen übersetzt, wird »Gänsehaut« (GOOSEBUMPS) weltweit als beliebteste Kinderbuchserie gefeiert. Die Zeitung *USA Today* hat 1999 ermittelt, dass R. L. Stine der erfolgreichste Kinderbuchautor aller Zeiten ist. Wie lässt sich dieser außergewöhnliche Erfolg erklären? Ganz einfach. R. L. Stine erzählt nicht nur gruselige Geschichten, sondern bringt seine Leser auch zum Lachen. Mit dieser besonderen Mischung hat er erreicht, dass – dies belegen zahlreiche Briefe an den Autor – viele Kinder, die sich bis dato nicht sonderlich für Bücher interessiert haben, zu Lesern geworden sind.

R. L. Stine

Gänsehaut

Doppelschocker 22

Fünf x ich

Rache ist...

Aus dem Amerikanischen
von Dagmar Weischer und
Günter W. Kienitz

OMNIBUS
ist der Taschenbuchverlag für Kinder
in der Verlagsgruppe Random House

FSC
Mix
Produktgruppe aus vorbildlich
bewirtschafteten Wäldern und
anderen kontrollierten Herkünften
Zert.-Nr. SGS-COC-1940
www.fsc.org
© 1996 Forest Stewardship Council

Verlagsgruppe Random House FSC-DEU-0100
Das für dieses Buch verwendete
FSC-zertifizierte Papier *Munken Print*
liefert Arctic Paper Munkedals AB, Schweden.

2. Auflage
Erstmals als OMNIBUS Taschenbuch November 2005
Gesetzt nach den Regeln der Rechtschreibreform
Die Originalausgaben erschienen unter den Titeln
»Goosebumps, Series 2000 # 6: I am your Evil Twin«
und »Goosebumps, Series 2000 # 7: Revange R Us«
bei Scholastic Inc., New York
© 1998 by Scholastic, Inc.
All rights reserved.
The *Goosebumps* book series created
by Parachute Press, Inc.
Published by arrangement with Scholastic Inc.,
555 Broadway, New York, NY 10012, USA.
»Goosebumps«™ and »Gänsehaut«™
and its logos are registered trademarks of
The Parachute Press, Inc.
© 2000 für die deutsche Übersetzung
Omnibus Taschenbuch Verlag/cbj, München
in der Verlagsgruppe Random House GmbH
Die deutschsprachigen Erstausgaben erscheinen
in der Serie »Gänsehaut« unter den Titeln
»Fünf x ich« und »Rache ist ...«.
Alle deutschsprachigen Rechte dieser Ausgabe,
insbesondere auch am Serientitel »Gänsehaut«,
vorbehalten durch OMNIBUS Taschenbuch
Verlag/cbj, München.
Dieses Werk wurde vermittelt durch die
Literarische Agentur Thomas Schlück GmbH,
Garbsen.
Übersetzung:
Dagmar Weischer und Günter W. Kienitz
Lektorat: Janka Panskus
Umschlagkonzeption: Atelier Langenfass, Ismaning
at · Herstellung: CZ
Satz: Uhl + Massopust, Aalen
Druck und Bindung: GGP Media GmbH, Pößneck
ISBN-10: 3-570-21549-0
ISBN-13: 978-3-570-21549-4
Printed in Germany

www.omnibus-verlag.de

Inhalt

Fünf x ich 7

Rache ist… 133

Fünf x ich

1

»So, da wären wir«, sagte Onkel Leo. Er bog in die Einfahrt eines großen, heruntergekommenen Backsteinhauses ein und stellte den Motor ab.

»Es sieht immer noch genauso aus wie damals, als wir Kinder waren, Leo!«, rief Mom aus. »Außer, dass das Unkraut gewachsen ist«, fügte sie stirnrunzelnd hinzu.

»Ich hab nicht viel Zeit für Gartenarbeit«, gab Onkel Leo zu. »Ich bin doch immer in meinem Labor.« Er starrte mich durch seine dicken Brillengläser an. »Ich hoffe, dir wird es hier gefallen, Montgomery.«

Aber ich hatte leider das Gefühl, dass es ein sehr langes Jahr werden würde.

Ich heiße Montgomery Adams. Meine Mutter findet allen Ernstes, *Montgomery* sei ein schöner Name für ein Kind. »Dein Vater hat ihn ausgesucht«, sagt sie immer. Mein Vater ist einen Monat vor meiner Geburt gestorben. »Außerdem klingt er elegant.«

Ich will aber nicht elegant sein, sondern ganz normal. Das ist schon schwer genug, wenn man wie ich mit zwölf Jahren groß und mager ist und rote Haare und eine ziemlich auffällige Nase hat.

Aber wenn man dann zu allem Übel auch noch Montgomery heißt, kann man's sowieso vergessen.

Ich hatte Onkel Leo seit meinem sechsten Lebensjahr nicht mehr gesehen. Als er Mom und mich am Flughafen von Philadelphia abholte, war das Erste, was er sagte: »Du musst Montgomery sein.« Seine Stimme klang tief und irgendwie hohl.

»Ja, aber alle nennen mich Monty«, erklärte ich ihm.

Er nannte mich trotzdem weiterhin Montgomery.

Jetzt stieg er aus dem Auto und ging auf das Haus zu. Mom und ich folgten ihm mit unserem Gepäck.

»Sieh mal, Monty. Da steht der Baum, an dem unsere Schaukel hing.« Mom zeigte auf einen alten Ahornbaum neben dem Haus. »Bestimmt hat Leo irgendein Seil übrig, falls du dir auch eine Schaukel bauen willst. Ach, dir wird es hier bestimmt gefallen!«

Ich schaute den Ahornbaum misstrauisch an. »Ich finde, der sieht irgendwie tot aus«, murmelte ich. »Und das Haus wirkt auch nicht besonders lebendig.«

»Nun sieh doch nicht so schwarz, Monty«, meinte Mom stirnrunzelnd. »Das ist doch ein Abenteuer.«

Ein Abenteuer. Richtig.

Mom ist Zoologin und arbeitet für eine Universität. In ein paar Monaten geht sie für ein Jahr in den Dschungel von Borneo, um Orang-Utans zu beobachten. Sie hat von der Universität einen Haufen Geld dafür bekommen. Sie ist schon ganz aufgeregt, denn sie liebt Abenteuer.

Ich dagegen *hasse* Abenteuer. Am liebsten führe ich ein stinknormales Leben.

Mom kann mich nicht mitnehmen, weil es im Dschungel von Borneo keine guten Schulen gibt. Sie will mich stattdessen bei ihrem Bruder unterbringen – meinem Onkel Leo.

Dagegen wäre eigentlich nichts zu sagen. Außer, dass Onkel Leo nicht normal ist. Er beschäftigt sich mit irgend so einer seltsamen Wissenschaft. Er ist Professor und alle reden ihn mit »Professor Matz« an. Aber er unterrichtet nicht. Er forscht nur und arbeitet die ganze Zeit in seinem Labor. Und er wohnt in diesem riesigen, verfallenen Haus in dieser kümmerlichen Kleinstadt namens Mortonville außerhalb von Philadelphia.

Und er nennt mich Montgomery.

»Schade, dass Nan dieses Wochenende nicht da ist«, bemerkte Mom, während wir ins Haus gingen.

»Aber echt«, murmelte ich. Bestimmt wäre es bei Onkel Leo nicht ganz so schlimm, wenn Nan da wäre.

Meine Kusine Nan ist Onkel Leos Tochter. Die ist cool und überhaupt nicht wie ihr Vater. Die Sommerferien verbringt sie meistens bei uns in Kalifornien, während Onkel Leo in der Weltgeschichte herumreist und sich seiner seltsamen Wissenschaft widmet. Eigentlich heißt sie Nancy, aber alle nennen sie »Nan«.

Nan und ich haben viel gemeinsam. Wir sind gleichaltrig. Wir haben beide nur einen Elternteil – Nans Mutter ist gestorben, als sie zwei war. Und wir spielen beide Klavier.

Sie ist sehr sportlich – sogar mehr als ich, aber das reibt sie mir nicht ständig unter die Nase. Und sie hat Humor. Wir mögen dieselbe Art von Witzen.

»Nan ist bis August in einem Musikferienlager«, erklärte Onkel Leo und warf mir einen kurzen Blick zu. »Deine Mutter hat mir erzählt, du wärst auch ein begabter Klavierspieler, Montgomery.«

Wir gingen ins Wohnzimmer, einem großen, schäbigen Raum mit verblichenen braunen Möbeln. Ich schnupperte. Es roch ganz eigentümlich – nach Schimmel und irgendwie sauer, nach Chemie. Igitt.

»Woran arbeitest du eigentlich gerade, Leo?«, fragte Mom neugierig und setzte sich in einen der braunen Sessel. »Ist es was Weltbewegendes?«

Onkel Leo wurde rot. »Och, dies und das«, murmelte er.

Mom lachte. »Du bist ein richtiger Heimlichtuer«, neckte sie ihn. »So wie diese verrückten Wissenschaftler im Film.«

Ich musterte Onkel Leo. Mit seiner dicken Brille, seinem ausgemergelten Gesicht und seinem wild abstehenden roten Haar sah er wirklich wie ein verrückter Wissenschaftler aus. Er war groß, hatte eine gebeugte Haltung und er trug ein kurzärmeliges blaues Hemd mit einem Stehkragen.

Ja. Ich konnte mir gut vorstellen, wie er in einem Labor glucksend und händereibend über Bechergläsern mit brodelnder grüner Flüssigkeit hing.

KNACK!, machte es plötzlich direkt über meinem Kopf.

Ich sprang auf. »Was war das?«

»Nichts weiter. Das Haus senkt sich«, antwortete Onkel Leo. »Es ist alt und alte Gebäude knarren und ächzen eben manchmal.«

»Oder vielleicht ist das einer von den *Anderen*«, überlegte meine Mutter. »Weißt du noch Leo, wie wir immer dachten, oben auf dem Dachboden wohnt heimlich noch eine Familie?«

»Das hast *du* vielleicht gedacht«, murmelte Onkel Leo. »Ich nicht.«

Ich lehnte mich auf dem muffigen Sofa zurück und seufzte. Ein verrückter Wissenschaftler und sein gruseliges altes Haus.

Das würde wirklich ein langes Jahr werden.

Am Abend konnte ich einfach nicht einschlafen. Um mich herum knackte es überall. Manche Geräusche klangen fast so, als würde ein Mensch knurren oder stöhnen.

Endlich schlief ich ein, aber nur für eine Minute.

Ich wachte von einem schrillen Kreischen auf und blinzelte in den Raum. Was war denn das für ein grelles Licht, das meine Augen blendete?

He! Ich war ja gar nicht mehr in meinem Bett!

Ich war anscheinend in einem Krankenhaus, im Operationssaal!

Mein Herz fing laut an zu pochen. Was ging hier vor?

Eine große, dünne Gestalt tauchte über mir auf. Ein Mann. Aber ich konnte sein Gesicht nicht sehen, weil mich das Licht blendete. Ich konnte nur den Umriss seines Kopfes sehen. Er trug eine OP-Haube und Mundschutz und Handschuhe.

Er hob eine Hand. Ein Metallgegenstand blitzte auf.

Ich riss entsetzt die Augen auf.

Ein Skalpell!

Ich versuchte mich aufzusetzen.

Aber ich konnte mich nicht bewegen!

»Hilfe!«, schrie ich. Doch es kam kein Ton heraus!

»Entspann dich«, sagte der Mann mit dem Mundschutz. Seine unglaublich tiefe Stimme dröhnte mir in den Ohren. Sie hörte sich an wie ein abgenutztes, ausgeleiertes Kassettenband.

Mein Herz raste. Ich wollte aufspringen. Wegrennen. Aber mein Körper wollte mir nicht gehorchen.

Das ist ein Albtraum! Ein fürchterlicher Albtraum!

Und da dämmerte es mir.

Es war tatsächlich ein Albtraum!

Ja! Das ist es, dachte ich.

Ich träume. Das ist alles gar nicht wahr.

Deswegen kann ich mich nicht bewegen. Und nicht sprechen.

Es ist ein Traum. Das ist alles. Nichts als ein Traum.

Mein Herzklopfen ließ nach.

Und dann senkte der Mann mit dem Mundschutz sein Skalpell zu meinem Ohr herab – und fing an, mir quer übers Gesicht zu schneiden.

2

»Nein!«, schrie ich mit aller Kraft. »Nein!«

Und plötzlich konnte ich mich wieder bewegen. Ich fuhr im Bett hoch und schnappte nach Luft.

Schweiß rann mir über die Wangen.

Ich blickte mich um.

Ich war wieder in einem dunklen Zimmer. Einem Gästezimmer in Onkel Leos Haus.

Der Mann mit dem Skalpell war weg.

Die Tür wurde aufgerissen. »Monty?«, rief Mom. »Alles in Ordnung? Ich dachte, ich hätte dich schreien hören.«

»Ich glaube, ich hab geträumt«, stieß ich hervor. »Tut mir Leid, wenn ich dich geweckt habe.«

»Macht nichts. Versuch jetzt wieder zu schlafen«, sagte Mom.

Ich legte mich zurück und starrte an die Decke, während mein rasendes Herz sich langsam beruhigte.

Ich schloss die Augen.

Aber es dauerte lang, bis ich wieder einschlief.

Den Sommer verbrachte ich zu Hause. Im Oktober brach Mom dann in den Dschungel auf und Onkel Leo holte mich am Flughafen ab. Er trug wieder ein blaues kurzärmeliges Hemd mit einem Stehkragen. Vielleicht war es auch dasselbe Hemd. Wer weiß.

Es war ein kühler, klarer Herbsttag und die ersten Blätter verfärbten sich an den Bäumen.

Mortonville sah sogar richtig nett aus. Aber ich war immer noch nervös.

Als wir bei Onkel Leo in die Einfahrt bogen, ging die Haustür auf und meine Kusine Nan trat auf die Veranda.

»Hallo!«, rief sie und lief uns entgegen. »Da bist du ja endlich! Ist Tante Rebecca abgereist? Wärst du nicht lieber mit ihr nach Borneo gefahren?«

Nan ist so groß wie ich und dünn. Sie trug eine ausgebeulte Jeans und ein blaues Kapuzen-T-Shirt. Ihr rotes Haar, das etwas heller ist als meines, hatte sie zu einem langen Zopf geflochten. Ihre grünen Augen unter ihrem dichten Pony funkelten munter.

»Hallo!« Mehr brachte ich nicht hervor, denn schon plapperte sie wieder los.

»Komm doch rein«, drängte sie und zog mich ins Haus. »Hat Dad dir schon alles gezeigt, als du zu Besuch hier warst? Hat er bestimmt nicht. So was vergisst Dad immer. Also, dann führe ich dich im Haus herum. Es ist echt cool. Es wird dir gefallen.« Sie verdrehte die Augen. »Der einzige Haken ist, dass es manchmal kein heißes Wasser gibt.«

Nachdem sie mir das Haus gezeigt hatte, gingen wir ins Wohnzimmer, wo Onkel Leo auf uns wartete. Er räusperte sich. »Montgomery, ich habe eine kleine Überraschung für dich«, verkündete er. »Es ist nur ein kleiner Willkommensgruß.«

Ich starrte ihn überrascht an. Ein Willkommensgruß? So etwas hätte ich von Onkel Leo gar nicht erwartet.

Er holte etwas Kleines, Silbernes aus seiner Jackentasche und hielt es mir hin.

Ich betrachtete es. Es war eine Anstecknadel in Form eines Sterns mit acht Zacken. Als Onkel Leo seine Hand bewegte, funkelte der Stern in zarten Regenbogenfarben.

»Wow. Woraus besteht das?«, wollte ich wissen.

»Dad hat es erfunden«, erklärte Nan ganz stolz. »Es ist ein neues Material, das im Dunkeln leuchtet, weißt du. Das können die Leute am Fahrrad befestigen oder am Jogginganzug oder so. Er hat mir auch ein Paar

Ohrringe in Mondform gemacht. Ist der Stern nicht schön?«

»Absolut cool«, stimmte ich mit Blick auf die Anstecknadel zu.

»Ich stelle eine Menge cooler Dinge her, Montgomery«, sagte Onkel Leo und sah mich durch seine Brille an. »Wenn du wüsstest.«

Er stand einen Augenblick mit geneigtem Kopf da und schaute mich unverwandt an. Ich spürte, wie meine Ohren langsam heiß wurden.

Wieso glotzt der denn so?, fragte ich mich.

Da schien sich Onkel Leo plötzlich aus seiner Erstarrung zu reißen. »Komm her, ich stecke sie dir an«, schlug er vor. Er trat auf mich zu und streckte die Hand nach meinem T-Shirt aus.

»Ist schon okay«, sagte ich und hob abwehrend die Hand. »Ich kann – aua!«

Ich spürte einen stechenden Schmerz in meinem Zeigefinger.

Onkel Leo hatte mich mit der Nadel in den Finger gepiekst!

Ich starrte meine Hand an. Ein hellroter Blutstropfen quoll aus der Wunde hervor.

»Oje! Das tut mir aber Leid, Montgomery!« Onkel Leo zog blitzschnell ein Taschentuch hervor und tupfte das Blut ab. »Alles in Ordnung? Das tut mir so Leid, ehrlich. Das muss wehgetan haben.«

»Ist schon okay«, nuschelte ich, obwohl mein Finger pochte. Wenn er doch bloß nicht so einen Aufstand deswegen machen würde! »Nicht so schlimm. Jedenfalls danke für den Anstecker. Der gefällt mir gut.«

»Er ist wirklich nicht schwer verletzt, Dad«, versicherte Nan ihrem Vater. »Kommt, wir gehen in die Küche. Da liegt eine Tüte Doughnuts.«

»Natürlich«, sagte Onkel Leo und reichte mir die Anstecknadel. Er steckte sein Taschentuch wieder weg und ging in die Küche. Nan und ich folgten ihm.

»Letzte Woche hat eine neue Bäckerei in der Stadt aufgemacht. Die backen dreimal am Tag frische Doughnuts«, erklärte Nan. »Sie waren noch warm, als wir sie gekauft haben.«

Sie ging zum Büfett hinüber und holte eine Pappschachtel aus einer weißen Papiertüte. Als sie den Deckel hob, strömte ein appetitlicher Zimtduft daraus hervor. Mir lief das Wasser im Mund zusammen. Das Frühstück im Flugzeug schien schon ewig her zu sein.

»Wie wär's mit etwas Apfelsaft zum Runterspülen?«, fragte Onkel Leo und holte einen großen Krug aus dem Kühlschrank.

»Au ja«, sagte ich und setzte mich an den Holztisch. Onkel Leo war vielleicht ein komischer Kauz, aber immerhin war er nicht so ein Gesundheitsapostel wie meine Mutter. Die kaufte nie Doughnuts.

Nan stellte die Schachtel auf den Tisch. Ich nahm

einen Doughnut heraus und biss hinein. Mmmmm! Innen war er noch ein bisschen warm. Zucker und Zimt knirschten zwischen meinen Zähnen.

Den Rest des Doughnuts verschlang ich mit drei Bissen. Dann nahm ich einen großen Schluck Apfelsaft.

Ich blickte mich in der Küche um. Sie war groß und hell, mit grün-weiß kariertem Linoleum auf dem Fußboden und grünen Vorhängen am Fenster.

Wenn Nan da ist, ist es hier nicht so schlimm, dachte ich vergnügt und wollte mir einen zweiten Doughnut nehmen.

Da wurde mir plötzlich ganz merkwürdig zu Mute. Und wie merkwürdig!

Mein Magen zog sich zusammen, als hätte mich jemand geboxt. Gleichzeitig wurde mir abwechselnd kalt und heiß.

Meine Kehle schnürte sich zusammen und ich bekam kaum noch Luft.

Wieder zog sich mein Magen zusammen.

Es summte in meinen Ohren.

Was ist los?, fragte ich mich verwirrt.

Was ist plötzlich los mit mir?

3

Ich saß schwankend am Tisch. Das Blut rauschte mir in den Ohren.

»Monty, alles in Ordnung?«, erkundigte sich Nan. »Du siehst irgendwie blass aus.«

»Ich…«, stöhnte ich. »Mir ist…«

Ich beugte mich vor. Mein Magen rebellierte.

Und schon musste ich mich auf dem grün-weißen Küchenboden übergeben.

Nan sprang von ihrem Stuhl auf und wich zurück. »Igitt!«, rief sie.

»Montgomery! Was um Himmels willen…!«, schrie Onkel Leo.

Ich richtete mich auf meinem Stuhl auf und fühlte mich schon etwas besser. Entsetzt starrte ich auf das ekelhafte Zeug auf dem Boden. »Es – es tut mir Leid«, stammelte ich.

Das war mir vielleicht peinlich! Mein Gesicht glühte. Am liebsten wäre ich unter den Tisch gekrochen und hätte mich nicht mehr blicken lassen. Für den Rest des Jahres.

Onkel Leo holte Mopp und Eimer und fing an, alles aufzuwischen. »Bist du krank?«

»Vielleicht brauchst du einen Arzt«, meinte Nan.

»Nein. Mir geht's gut«, nuschelte ich. »Wirklich.«

Mir ging's tatsächlich schon viel besser. Ich hatte sogar einen Verdacht, wovon mir schlecht geworden war.

Ich nahm die Doughnut-Tüte und las, was darauf stand. Unter dem Namen der Bäckerei waren die Zutaten angegeben. Ich wurde sofort fündig.

»Die Doughnuts sind schuld«, erklärte ich. »Sie sind in heißem Erdnussöl gebacken.«

Nan schlug sich an die Stirn. »O nein! Stimmt, du bist ja allergisch gegen Erdnüsse! Daran habe ich nicht gedacht. Armer Monty!«

»Ja, wirklich«, stimmte Onkel Leo zu. »Es tut mir so Leid, Montgomery. Da marschierst du nichts ahnend in unser Haus und was passiert? Erst steche ich dich mit der Nadel und dann vergifte ich dich auch noch! Das fängt ja wirklich gut an.«

»Es war nicht deine Schuld«, protestierte ich verlegen. »Das konntest du ja nicht wissen. Äh – ich geh mir mal besser die Zähne putzen.«

»Weißt du noch, wo das Badezimmer ist? Oben, zweite Tür links«, sagte Nan. »Wenn du runterkommst, können wir uns ja ein paar Brote zum Mittagessen schmieren. Aber nichts mit Erdnussbutter und Marmelade«, fügte sie grinsend hinzu.

Ich stieg nach oben, spritzte mir Wasser ins Gesicht und putzte mir die Zähne. Inzwischen ging's mir wieder bestens – außer dass ich mich ärgerte, mich so blamiert zu haben.

Ich trat aus dem Badezimmer und lief durch den langen Flur. Obwohl es mitten am Tag war, herrschte ziemliche Dunkelheit. Die Dielenbretter knarrten unter meinen Füßen. Überall im Flur gingen Holztüren ab – mindestens fünf auf jeder Seite. Alle geschlossen.

Wozu brauchte Onkel Leo wohl so ein großes Haus? Hier wohnten doch bloß er und Nan – und ich zurzeit. Was sollten denn drei Leute mit so viel Platz anfangen?

Und was befand sich hinter all den Türen?

Am Ende des Flurs konnte ich eine niedrige gewölbte Türöffnung erkennen. Ich spähte hindurch und sah, dass sie zu einer Hintertreppe führte. Wo die wohl hingeht?, fragte ich mich.

Neugierig betrat ich die schmalen, steilen Stufen, die ausgetreten waren und sich unter meinen Füßen durchzubiegen schienen. *KNACK! ÄCHZ!*

Hoffentlich bricht die Treppe nicht unter mir zusammen, dachte ich nervös. Das fehlte jetzt noch! Dann finge mein Aufenthalt hier wirklich gut an!

Einen Augenblick später war ich im Erdgeschoss. Ich befand mich jetzt anscheinend im hinteren Teil des Hauses. Durch eine Tür auf der linken Seite konnte ich Onkel Leos Arbeitszimmer sehen. In dem Raum daneben standen ein Klavier und mehrere Sessel.

Auf der gegenüberliegenden Seite des Flurs sah ich eine weitere Tür. Anders als die übrigen Türen im Haus war diese aus Metall und weiß gestrichen.

Und sie stand einen kleinen Spalt offen.

Was da wohl drin ist?, fragte ich mich und streckte die Hand nach dem Türknauf aus.

»Was fällt dir ein!«, knurrte mir eine Stimme ins Ohr. »Untersteh dich, da jemals reinzugehen!«

4

Zu Tode erschrocken fuhr ich herum und starrte Onkel Leo ins Gesicht.

»Ich ... äh ...« Ich wusste nicht, was ich sagen sollte. Dachte er etwa, ich würde herumschnüffeln? »Ich hab mich irgendwie verlaufen.«

»Ich verstehe. Das Haus ist wirklich groß«, sagte Onkel Leo mit seiner tiefen, dröhnenden Stimme. »Ich wollte dich nicht anschreien. Es ist nur so, dass das die Tür zu meinem Labor ist. Viele meiner Experimente sind sehr empfindlich – manche sind sogar gefährlich. Ich möchte nicht, dass dir was passiert, Montgomery.«

»Äh – okay.« Ich wollte in dem Moment nur eines: nichts wie weg! Onkel Leo war mir richtig unheimlich.

»Zur Küche geht's da lang.« Onkel Leo zeigte durch den Flur. Dann öffnete er die Tür zum Labor und verschwand darin.

Ich meinte zu hören, wie er hinter sich einen Riegel vorschob.

Wie seltsam, dachte ich, als ich den Flur entlangeilte. Wie absolut sonderbar.

Am Nachmittag nahm mich Nan zu einem Platz mit, wo Kinder zum Rollerskating hingingen. Nans Freundinnen gefielen mir. Besonders ein Mädchen namens Ashley. Die war echt süß. Sie hatte glattes, schulterlanges dunkles Haar, große braune Augen und lachte über meine Witze. Und sie konnte am besten Rollerskates fahren.

Am Sonntag regnete es. Nan und ich hingen im Haus herum. Erst machten wir eine Weile in ihrem Zimmer Computerspiele. Dann beschlossen wir, nach unten zu gehen und zu sehen, was im Fernsehen kam.

Wir gingen durch den Flur im ersten Stock, an all den vielen Türen vorbei. Das Haus knarrte und ächzte um uns herum. Überall lagen dunkle Schatten.

»Was ist denn hinter all diesen Türen?«, fragte ich.

Nan zuckte mit den Schultern. »Das meiste sind Gästezimmer. Im Haus gibt es zehn davon. Ich glaube, das war früher mal eine Herberge oder so was.«

»Richtig unheimlich«, sagte ich. »Ich verliere hier oft die Orientierung und weiß nicht mehr, welches mein Zimmer ist. Und diese schrecklichen Geräusche im ganzen Haus. Es hört sich immer so an, als schlichen irgendwelche Leute hinter meinem Rücken herum.«

»Willst du damit sagen, Dad hat dir nichts erzählt?«, fragte Nan erstaunt und starrte mich an.

»Was erzählt?«

»Na, von...« Nan verstummte.

»Wovon?«

Nan holte tief Luft. »Von... von den Mutanten. Sie leben hier mit uns im Haus«, erklärte sie. Dann senkte sie die Stimme. »Sie kommen nur nachts hervor, denn sie mögen kein Licht.«

Mein Nacken fing plötzlich an zu prickeln. »Hör auf mit dem Quatsch.«

»Das ist mein absoluter Ernst!«, behauptete Nan. »Was meinst du denn, wozu wir so viele Schlafzimmer haben?«

»Aber... aber... woher kommen die Mutanten denn?«, stotterte ich. »Wieso vertreibt dein Vater sie nicht?«

»Sie sind aus schief gelaufenen Experimenten von ihm hervorgegangen«, flüsterte Nan. »Dad fühlt sich wahrscheinlich für sie verantwortlich.«

Ich blieb stehen und riss die Augen auf. »Sag bloß!«

Da sah ich, wie sich ein Grinsen über Nans Gesicht ausbreitete.

»Ha, reingelegt! Du hast mir das echt geglaubt!«, rief sie aus.

Ich blickte sie finster an. »Ach, wie witzig, hab ich gar nicht!«

»Hast du wohl!«, rief sie hämisch.

»Hab ich nicht. So eine blöde Geschichte glaubt doch kein Mensch!«, knurrte ich.

»Das war eine tolle Geschichte! Jetzt sei doch nicht gleich sauer, Monty. Du weißt, dass ich das nicht weitererzähle.«

Na hoffentlich. Vor allem Ashley durfte auf keinen Fall etwas davon erfahren.

Nan führte mich die Hintertreppe hinab und vorbei an Onkel Leos Labor in das Zimmer, wo das Klavier stand. Dort war auch der Fernseher.

Gedämpfte Geräusche drangen aus dem Labor. Was Onkel Leo wohl da drin trieb?

»Bist du schon mal im Labor deines Vaters gewesen?«, fragte ich Nan leise, während wir uns setzten.

»Erst einmal. Dad ist da sehr streng, weißt du«, erwiderte Nan.

»Ja, das hab ich gemerkt«, murmelte ich. »Erzähl doch mal, wie war's?«

»Ich war ungefähr sieben«, fing Nan an. »Da bin ich eines Tages reingeschlichen, als mein Vater gerade ein Nickerchen machte. Ich war ganz sicher, dass ich da alle möglichen verrückten Sachen vorfinden würde. Zweiköpfige Kaninchen und so Zeug.«

»Echt? Die hast du gesehen?«, wollte ich wissen.

Nan schüttelte den Kopf. »Nein, bloß einen Haufen Reagenzgläser und Schaubilder. Es war richtig langweilig. Aber bevor ich mich dünn machen konnte, ist mein Vater aufgewacht. Ich wusste, ich kriege einen Wahnsinnsärger, wenn er mich da erwischt. Deswegen hab ich mich im Vorratsschrank versteckt. Das war schrecklich! Ich war bestimmt zwei Stunden da drin. Und ich musste so dringend aufs Klo! Endlich ist Dad rausgegangen – und ich konnte mich davonstehlen.«

Sie lachte. »Seitdem hab ich nie wieder versucht mich da reinzuschleichen.«

Ich nahm die Fernbedienung in die Hand und schaltete den Fernseher ein. »Wieso nennt mich dein Vater eigentlich immer Montgomery?«, fragte ich, während ich herumzappte.

»Keine Ahnung«, sagte Nan. »Dad ist da irgendwie komisch. So förmlich.« Sie nahm mir die Fernbedienung aus der Hand. »Gib her! Ich kann es nicht leiden, wenn du so rumzappst. Da sieht man ja gar nicht, was für Sendungen laufen.«

»Mir wäre es lieber, er würde mich Monty nennen, so wie alle anderen«, murrte ich.

»He, sieh mal!« Nan stieß mich mit der Fernbedienung in die Seite. »Das ist doch der Film *Niemandsland!* Der ist toll, den hab ich schon viermal gesehen!«

Ich stehe nicht auf Horrorfilme. Aber das behielt ich lieber für mich. Sonst hätte Nan mich noch für einen Feigling gehalten.

Ich lehnte mich auf der Couch zurück und überlegte mir schönere Namen für mich.

»Jetzt kommt der spannendste Teil«, flüsterte Nan. »Schaust du überhaupt zu?«

»Dave«, sagte ich, noch immer in Gedanken.

»Hä?« Sie starrte mich an. »Wovon sprichst du?«

»Dave«, wiederholte ich. »Was meinst du dazu? ›Dave Adams.‹ Das klingt doch wenigstens nach was.«

»Du spinnst doch!«, schnaubte Nan.

»Hm. Wie wär's dann mit Paul?«, fragte ich. »Findest du, ich sehe aus wie Paul? Also, ich finde, ich sehe aus wie Paul.«

»Und ich finde, du siehst aus wie ein Idiot«, entgegnete Nan. Sie wandte sich wieder dem Fernseher zu. Es kam gerade Werbung. »Siehst du, jetzt hab ich deinetwegen den besten Teil verpasst!«

»Na und? Du hast den Film doch schon viermal gesehen«, erinnerte ich sie. »He – was hältst du von Alan?«

»Ach, halt den Mund, Monty.« Wieder stieß mich Nan mit der Fernbedienung in die Rippen. »Geh lieber Popcorn machen.«

»Mach du doch!«

»Ich will aber den Film nicht verpassen«, erklärte Nan.

Also ging ich in die Küche. Ich fand eine Tüte Popcornmais und stellte sie in die Mikrowelle.

»Beeil dich, Monty!«, rief Nan aus dem Fernsehraum. »Es geht weiter!«

»Toll«, murmelte ich unlustig.

Als das Popcorn fertig war, kippte ich es in eine Schüssel und schlurfte zurück in den Fernsehraum.

Als ich an der Labortür vorbeikam, hörte ich drinnen Onkel Leos Stimme. »Nein!«, schrie er. »Nein, das ist unmöglich!«

Einen Augenblick war es still. Dann vernahm ich Gemurmel – aber es war so leise, dass ich nichts verstehen konnte.

Ich blieb an der Tür stehen. Mit wem redete er denn da drin?

Ich hielt den Atem an, als Onkel Leo wieder losschrie:

»Nein!«, brüllte er. »Nein! Du bist doch wahnsinnig! Hast du gehört? Wahnsinnig!«

5

Wieder prickelte mir der Nacken.

Wen brüllte Onkel Leo denn da so an? Wen meinte er mit *wahnsinnig?*

Ich hatte doch sonst niemanden im Haus gesehen – und ich war den ganzen Tag da gewesen.

Was ging da im Labor vor sich?

»Monty! Jetzt komm schon!«, rief Nan ungeduldig.

Ich ging in den Fernsehraum zurück und schloss die Tür hinter mir.

Ich räusperte mich. »Nan, dein Vater schreit da im Labor mit jemandem herum«, berichtete ich.

Nan zuckte mit den Schultern. »Dad regt sich bei seinen Versuchen immer leicht auf«, sagte sie, ohne den Blick vom Fernseher abzuwenden.

»Aber mit wem redet er?«, wollte ich wissen. »Wer ist denn da bei ihm?«

Nan starrte mich an. Dann brach sie in schallendes Gelächter aus.

»Hallo! In welchem Jahrhundert lebst *du* denn, Monty? Hast du noch nie von einem Telefon gehört?«, fragte sie.

»Oh.« Ich spürte, wie mein Gesicht heiß wurde vor Verlegenheit.

Das Telefon. Natürlich. Onkel Leo telefonierte mit jemandem.

Ich dachte, ich hätte zwei Stimmen gehört. Aber da hatte ich mich wohl getäuscht.

Ich ließ mich neben Nan auf die Couch plumpsen. »Hier«, sagte ich und reichte ihr die Schüssel Popcorn.

Dann lehnte ich mich zurück, um mir den Rest des Filmes anzusehen.

Aber ich konnte mich einfach nicht konzentrieren. Dauernd musste ich an Onkel Leos Stimme denken. Und wie er gerufen hatte: »Du bist doch wahnsinnig!«

Mir doch egal, was Nan sagt, ging es mir schließlich durch den Kopf. Ob er nun wirklich telefoniert hat oder nicht – Onkel Leo ist jedenfalls ziemlich merkwürdig.

»So, das ist sie – die Taft-Middle-School«, verkündete Nan.

Ich starrte das lang gestreckte Backsteingebäude an. Es sah ziemlich ähnlich aus wie meine alte Schule in Kalifornien, außer dass dieser Bau hier größer war. Die gleichen metallumrahmten Fenster mit schmutzig weißen Jalousien, vor dem Gebäude der gleiche rechteckige Stoppelrasen.

Obwohl es an dem Tag trüb und nebelig war, blieben die Kinder vor dem Unterricht draußen auf der Grasfläche und unterhielten sich oder warfen Frisbees.

»Du bist in Mrs Eckstats Klasse«, sagte Nan, während sie meinen Stundenplan studierte. »Schade, dass du nicht mit mir bei Mr Pratt bist. Mrs Eckstat ist zwar in Ordnung, aber ziemlich streng.«

»Das macht nichts. Ich stelle schon nichts an«, meinte ich.

Ich war nervös. Es ist schon schlimm genug, in eine neue Schule zu kommen. Aber noch schlimmer ist es, wenn die anderen schon einen Monat vorher angefangen haben.

Da läutete die Schulglocke und wir liefen hinein. Nan zeigte mir mein Klassenzimmer im Erdgeschoss.

»Wir sehen uns später in der Pause«, versprach Nan. »Viel Glück!«

»Danke.« Ich schaute meiner Kusine nach, als sie in ihre Klasse eilte.

Ich versuchte, mich ganz lässig zu geben, als ich in meine Klasse ging. Mrs Eckstat nickte und lächelte mir zu. Sie war so um die fünfzig, hatte kurzes, grau gelocktes Haar und eine Brille, die ihr an einer Kette um den Hals hing.

Nans Freundin Ashley war auch in meiner Klasse. Sie hatte ihr dunkles Haar zu einem Pferdeschwanz gebunden und trug ein rotes Sweatshirt. Ich versuchte, ihren Blick auf mich zu lenken, aber sie unterhielt sich gerade angeregt mit einem anderen Mädchen.

Ich blickte mich im Klassenzimmer um. Einige Plätze waren nicht belegt. »Wo soll ich mich hinsetzen, Mrs Eckstat?«, fragte ich.

Mrs Eckstat runzelte die Stirn. »Aber du weißt doch, wo du sitzt, Montgomery«, antwortete sie. »Ich habe dir schon letzte Woche einen Platz zugewiesen, als du hier warst, um dich mir vorzustellen.«

Ich starrte sie einen Augenblick blinzelnd an. Letzte Woche?

»Äh – entschuldigen Sie, Mrs Eckstat«, fing ich an, »aber ich war letzte Woche noch gar nicht da. Ich bin heute das erste Mal hier.«

Mrs Eckstat stützte die Hände in die Hüften und

seufzte. »Red keinen Unsinn, Montgomery, und geh auf deinen Platz.«

Ich drehte mich zur Klasse um und überflog die Sitzreihen. Ashley deutete auf einen Stuhl am Fenster.

»Keine Widerrede«, flüsterte sie. »Setz dich einfach hin.«

Ich stolperte auf den Stuhl zu und nahm Platz. Ein pummeliger Junge in der letzten Reihe kicherte hämisch.

Mrs Eckstat fing an, etwas an die Tafel zu schreiben. Ich versuchte, mich zu konzentrieren, aber das war nicht leicht.

Was hatte Mrs Eckstat bloß gemeint? Ich war doch wirklich zum ersten Mal in der Taft-Middle-School und hatte keinen der Lehrer jemals zuvor gesehen.

Letzte Woche war ich noch in Kalifornien gewesen.

Wie konnte sie da behaupten, sie hätte mit mir gesprochen?

6

Am Nachmittag hatte ich meine erste Klavierstunde in der Schule. Ich bekam vom selben Lehrer Unterricht wie Nan, von Mr Schneider. Er ist auch der Schulmusiklehrer.

Ich spiele eigentlich ganz gut Klavier, aber diesmal dauerte es eine Weile, bis ich in Schwung kam. Ich war noch immer völlig aufgewühlt.

Die ganze Zeit fragte ich mich, wie es möglich war, dass Mrs Eckstat mich verwechselt hatte. In meiner Klasse war niemand, der mir ähnlich sah. Ich war der einzige Rotschopf.

Mr Schneider beugte sich über das Klavier und runzelte die Stirn. Er hatte eine Glatze, abgesehen von dem abstehenden Haarkranz um seinen Eierkopf. Er trug einen gestreiften Pullover und darunter eine getupfte Krawatte.

»Versuch's noch mal«, sagte er, als meine Tonleitern zum zweiten Mal danebengingen. »Wenn du so weitermachst, weiß ich nicht, ob du nächste Woche beim Schulkonzert mitmachen kannst.«

»Was für ein Schulkonzert?« Ich starrte ihn verdutzt an.

»Hat Nan dir nichts davon erzählt? Da spielen die besonders musikalischen Schüler vor«, erklärte Mr Schneider. »Sie hat behauptet, du spielst genauso gut wie sie. Ich dachte, ihr beide könntet dann ein vierhändiges Stück spielen.«

Ja, das wäre nicht schlecht, dachte ich. Und vielleicht könnte ich Eindruck auf Ashley schinden, wenn ich wirklich gut spielte.

Möglicherweise würde es mir dann langsam gefallen in Mortonville. Bisher war jedenfalls alles ziemlich merkwürdig gewesen.

Zuerst hatte mich Onkel Leo fast umgebracht mit diesen Doughnuts. Dann schrie mich meine Lehrerin an, weil ich mich nicht an meinen angeblichen ersten Besuch bei ihr erinnerte. Und dann waren da noch diese Stimmen im Labor...

Ich brauchte etwas Normales in meinem neuen Leben. Und was ist normaler als ein Klavierkonzert?

»Also, auf geht's!«, sagte ich entschlossen und nahm meine Tonleitern noch einmal in Angriff.

Der Rest der Stunde verlief sehr gut. Mr Schneider nickte lächelnd, als ich meine Übungen spielte. »Gut, sehr gut«, wiederholte er ständig.

Zum Schluss gab er mir einen Stapel Notenblätter mit und entließ mich. »Gut gemacht! Aber fleißig weiterüben, Monty!«, rief er mir von der Tür aus nach.

Vergnügt eilte ich nach Hause. »Nan? Onkel Leo?«, rief ich, als ich in den Hausflur trat.

Es kam keine Antwort. Da fiel es mir wieder ein – Nan war bei Nachbarn zum Babysitten.

Onkel Leo ist bestimmt in seinem Labor, dachte ich. Da drin kann er mich nicht hören.

Ich ging zu seinem Labor, griff nach dem Türknauf und riss die Tür auf.

»*Mach sofort die Tür zu!*«, schrie jemand von drinnen.

Ich erschrak so, dass ich die Tür losließ. Sie fiel mit einem Knall ins Schloss.

Das war doch nicht Onkel Leos Stimme! Das war überhaupt keine Männerstimme. Sie war viel zu hoch.

Da war jemand anders im Labor.

Aber wer?

7

Einen Augenblick später sprang die Tür auf und Onkel Leo trat heraus. Sein Gesicht sah noch blasser aus als sonst. Unter seinen Augen waren dunkle Ringe.

»Brauchst du etwas, Montgomery?«, fragte er.

»Ich … äh …« Ich war ganz durcheinander. »Ich wollte dich nicht stören.«

»Ist schon okay.« Okel Leo lächelte mich breit an. Das sah sehr unheimlich aus in seinem ausgemergelten Gesicht. »Tut mir Leid, dass ich dich so angeschnauzt habe. Denk bitte nächstes Mal dran, anzuklopfen.«

»*Du* hast mich angeschnauzt?«, platzte ich heraus. »Aber das war nicht deine Stimme, Onkel Leo.«

»Natürlich war das meine Stimme«, behauptete Onkel Leo. Er räusperte sich. »Vielleicht klang sie ein bisschen anders, weil ich nervös war. Ich war gerade mitten in einem schwierigen Experiment.«

»Aber…« Mehr fiel mir nicht ein. Ich war total verwirrt.

Dann drehte ich mich um und murmelte: »Tut mir Leid, wenn ich dich gestört habe.«

»Ist schon okay«, wiederholte Onkel Leo. »Mach jetzt lieber deine Hausaufgaben.«

»Ist in Ordnung.«

Onkel Leo entschwand wieder in sein Labor. Ich ging in die Küche, um mir etwas zu essen zu holen. Und ich wollte nachdenken.

Ich war mir ziemlich sicher, dass das nicht Onkel Leos Stimme gewesen war, die mich angeschrien hatte.

Log Onkel Leo mich etwa an?

Aber warum?

Was hatte er zu verbergen?

Am nächsten Tag fing die Schule recht gut an. Beim Mittagessen brachte ich alle zum Lachen, indem ich unseren Sportlehrer, Mr Mason, nachäffte. Der ist ziemlich klein und watschelt wie eine Ente. Eine muskulöse Ente.

Ashley war auch dabei. Sie lachte sich halb tot.

In der sechsten Stunde hatte ich Kunst. Als ich in den Kunstsaal kam, erspähte ich sofort Ashley. Sie grinste und zeigte auf den Platz neben ihr.

Toll!, dachte ich, als ich zu ihrem Tisch hinüberging. Langsam geht's bergauf!

Als ich mich umsah, merkte ich, dass Vera Arnold, auch eine von Nans Freundinnen, neben der Tür saß. Und Simon Block, der pummelige Junge, der mich am Vortag ausgelacht hatte, hockte am Nebentisch von uns.

»Guten Tag!«, rief unsere Lehrerin, Miss Braun. Sie war dünn und hatte langes braunes Haar, das sich immer wieder aus ihrem Dutt löste und ihr in die Augen fiel. »Heute werden wir damit fortfahren, Formen und Farben in drei Dimensionen zu untersuchen. Ich habe auf jeden Tisch Pappmascheekübel und Farben gestellt. So, dann lasst euch mal was einfallen!«

Ich warf einen Blick zu Simons Tisch hinüber. Er und zwei andere Jungs waren schon dabei, irgendwas Riesengroßes, Klumpiges aus Pappmaschee zu bauen.

»Und, wie sieht's aus, was macht euer Projekt?«, fragte Miss Braun die drei.

»Unseres ist am coolsten!«, prahlte Simon. »Es ist ein Vulkan. Wir streichen ihn noch an, damit es so aussieht, als würde richtige Lava herausströmen. Und dann basteln wir noch lauter kleine Leichen, von Menschen, die im Lavastrom umgekommen sind. *Hilfe! Ich brenne!*« Er griff sich an die Kehle und schnitt entsetzliche Grimassen.

Ashley verdrehte die Augen. »So ein Blödmann!«, sie nahm einen Pinsel zur Hand und betupfte die Maske, an der sie gerade arbeitete, mit blauer Farbe.

»Was machen die denn da?«, flüsterte ich ihr im Scherz zu. »Soll das Simons Kopf sein?«

Ashley lachte. »Für Simons Kopf ist es nicht pummelig genug!«, erwiderte sie.

Ich schöpfte etwas Pappmaschee aus dem Kübel und schmierte es rundherum um meine Hand. »Ich mache ein lebensgroßes Abbild von mir. Was hältst du davon?«

»Nicht pummelig genug«, sagte Ashley grinsend. Sie tauchte ihre Hand in das Pappmaschee und klatschte einen großen Klecks auf meine Hand. »So. Das ist schon besser.«

»He!«, protestierte ich. Ich nahm einen Pinsel und malte einen großen roten Kreis auf ihre Maske. »Wie wär's mit schönen rosigen Wangen?«

»So, du willst schöne rosige Wangen? Die kannst du haben!« Ashley tauchte ihren Pinsel in rote Farbe. Ehe ich eingreifen konnte, malte sie einen roten Kreis auf *meine* Wange.

»Na gut, wie du willst«, sagte ich und langte nach dem Glas mit grüner Farbe.

»Nein, hör auf!«, schrie Ashley, als sie sah, was ich vorhatte. Sie wollte mich am Arm packen, aber ich wich ihr blitzschnell aus.

ZACK!, krachte ich mit dem Arm gegen die Farbgläser. Sie fielen vom Tisch – und zersprangen auf dem Fußboden.

Bis auf die gelbe Farbe. Die ergoss sich über Simons Tisch. Und über sein Vulkanmodell.

Alle waren starr vor Schreck.

Ashley und ich sahen uns entsetzt an.

Dann redeten plötzlich alle aufgeregt durcheinander.

»Na warte, du!«, knurrte Simon. Er ballte die rechte Hand zur Faust und starrte mich feindselig an.

»Gut gemacht, Monty!«, rief jemand.

Miss Braun eilte herbei, schaute uns dabei drohend an und stemmte die Hände in die Hüften.

»Jetzt sieh dir diese Schweinerei an!«, schimpfte sie mich. »Und wie viel Farbe du verschwendet hast!«

»Entschuldigung«, nuschelte ich. »Das war keine Absicht.«

»Das will ich hoffen!«, fauchte Miss Braun. Dann seufzte sie. »Ich hole am besten den Hausmeister, damit er die Glassplitter beseitigt. Bis dahin passt bitte auf, wo ihr hintretet.«

Sie sah Ashley und mich finster an. »Nach der Schule kommt ihr und macht den ganzen Kunstsaal sauber. Vielleicht lernt ihr auf diese Weise, vorsichtig mit dem Material umzugehen.«

Ich zog den Kopf ein. »Ja, Miss Braun.«

»So ein Mist! Ich habe nach der Schule Fußball!«, jammerte Ashley, als Miss Braun gegangen war. Dann blickte sie mich finster an. »Was musst du auch so tollpatschig sein!«

Wer, *ich*? Wenn sie nicht versucht hätte, mich fest zu halten, hätte ich die Farben doch gar nicht umgeworfen!

Aber ich war zu verlegen, um mit ihr darüber zu diskutieren.

Das war erst mein zweiter Schultag in der neuen Schule. Und schon hatte ich mir zweimal Ärger aufgehalst.

»Entschuldigung«, sagte ich noch einmal.

Die restliche Stunde arbeiteten Ashley und ich schweigend an unseren Kunstwerken. Ashley holte neue Farben und malte ihre Maske an. Ich versuchte, ein Krokodil aus Pappmaschee zu formen, aber es sah am Schluss eher aus wie ein Würstchen auf Beinen.

Nach der letzten Unterrichtsstunde ging ich zum Kunstsaal zurück, um Ashley dort zu treffen. Ich riss die Tür auf und blieb entsetzt wie angewurzelt stehen.

Der Raum war vollkommen verwüstet.

Der Boden, die Wände, die Fenster, die Möbel, alles war voll gespritzt mit Farben. Ein Kübel Pappmaschee lag ausgekippt auf dem Lehrerpult. Zeichenpapier war von den Regalen gerissen worden und in Schnipsel zerfetzt.

Es sah aus, als hätte jemand die Pappmascheewerke mit einem Baseballschläger zertrümmert. Auch Simons Vulkan war zerstört. Mein Krokodil auch. Und alles andere.

Ashley stand mittendrin und starrte auf das Chaos. Ich trat näher.

»Was ist denn da passiert?«, murmelte ich.

Ashley fuhr herum. Sie weinte.

»Bleib mir vom Leib!«, rief sie. »Du bist ja völlig verrückt!«

»Aber was...«, fing ich verdattert an.

»Ich hab dich gesehen!«, schrie Ashley. »Ich hab dich gesehen, Monty! Warum hast du das getan?«

8

»Was, ich?« Ich schaute Ashley verstört an. »Wovon sprichst du?«

»Du hast dieses Chaos hier angerichtet!«, kreischte Ashley. »Warum hast du das gemacht, so was Blödes!«

»Aber – aber das war nicht ich!«, widersprach ich. »Ich war's nicht, ich war doch gar nicht hier drin!«

»Wie kannst du so was behaupten?«, rief Ashley und zeigte anklagend mit dem Finger auf mich. »Ich hab dich gesehen! Ich hab gesehen, wie du das ganze Zeug zertrümmert hast. Und dann bist du aus dem Fenster geklettert.«

»Das stimmt überhaupt nicht«, schrie ich fassungslos. »Ich schwöre dir, Ashley, du irrst dich. Ich war das nicht. Ich komme gerade aus dem Naturkundeunterricht. Ich hab das nicht gemacht!«

Ashley wischte sich mit einem Taschentuch die Augen trocken. »Willst du damit etwa sagen, *ich* wäre das gewesen?«

»Nein! Ich weiß, dass du es nicht warst. Aber ich auch nicht! Ich schwöre es!«

»Aber ich hab dich gesehen!«

Ich griff mir an die Stirn. »Also, das ist doch nicht zu fassen!«

Auf einmal blickte Ashley an mir vorbei zur Tür. »Miss Braun!«, rief sie erschrocken aus. »Ich.. äh...«

Ich fuhr herum.

»Was hat das hier zu bedeuten?«, fragte die Lehrerin streng.

Ich starrte mit offenem Mund. Ashley schaute auf ihre Füße.

»Nun?«, fragte Miss Braun nach. »Ashley, hast du dieses Chaos hier angerichtet?«

»Nein«, antwortete Ashley.

»Monty?«, fragte Miss Braun.

»Nein!«, rief ich etwas zu laut.

Ashley holte tief Luft. »Ich hab gesehen, dass Monty es war«, sagte sie leise.

Die Lehrerin trat kopfschüttelnd auf mich zu.

»Ashley, du kannst gehen. Monty, du kommst mit mir zur Direktorin«, befahl sie. »Jetzt sofort. Los!«

»Mrs Williams erwartet dich«, verkündete die Sekretärin.

Ich schluckte. Ich hatte bisher noch nie bei einer Direktorin antreten müssen.

Schon gar nicht wegen etwas, das ich gar nicht getan hatte!

Miss Braun legte eine Hand auf meine Schulter und lenkte mich in Mrs Williams' Büro. »Ich fürchte, wir haben Ärger mit diesem Schüler«, erklärte sie der Direktorin.

Die Direktorin war groß, untersetzt und trug ein graues Kostüm. Ihr schwarzes Haar war ganz kurz geschnitten. Als sie zu mir hochblickte, verengten sich ihre strengen dunklen Augen.

»So, da bist du ja schon wieder«, bemerkte sie. »Das überrascht mich nicht. Habe ich dir nicht heute Morgen schon gesagt, dass du mit deinem frechen Mundwerk nicht weit kommen wirst?«

Sie wandte sich an Miss Braun. »Was hat er denn diesmal angestellt?«

Mir blieb die Spucke weg. Ich starrte Mrs Williams entsetzt an.

Heute Morgen?

Ich war an diesem Morgen doch gar nicht in ihrem Büro gewesen!

Ich sah sie jetzt zum ersten Mal in meinem Leben!

Was ging hier vor?

9

Ärgerlich berichtete Miss Braun der Direktorin von der Verwüstung im Kunstsaal. Ich hörte schockiert zu.

Werde ich denn langsam verrückt?

Hatte ich etwa wirklich den Kunstsaal durcheinander gebracht – ohne es zu wissen?

Hatte man mich an diesem Morgen tatsächlich zur Direktorin geschickt? Wenn ja, wieso konnte ich mich daran nicht erinnern?

Das gab es nicht! Das war unmöglich!

Schaudernd dachte ich an das Erlebnis vom Vortag, als Mrs Eckstat behauptet hatte, sie hätte mich bereits letzte Woche kennen gelernt.

Irgendetwas Unheimliches war hier im Gange.

»Ich war es nicht!«, platzte ich heraus. »Ehrlich, ich war es nicht, ich hab damit nichts zu tun!«

Die beiden Frauen schauten mich durchdringend an. Mrs Williams schüttelte den Kopf.

»Wir wissen, dass du es warst, Monty«, behauptete sie. »Eine Schülerin hat dich gesehen. Warum sollte uns Ashley eine solche Lüge auftischen?«

»Weiß ich doch nicht!«, rief ich. »Aber ich weiß, dass ich es nicht war! Und ich war auch noch nie zuvor in Ihrem Büro, Mrs Williams. Ich hab Sie noch nie im Leben gesehen!«

Mrs Williams starrte mich an, als traue sie ihren Ohren nicht.

»Ich weiß, dass das schlimm für dich ist, Monty«, sagte sie mit ruhiger Stimme. »Es ist nicht leicht, sich an eine neue Schule und an ein neues Zuhause zu gewöhnen.«

Ich biss mir auf die Unterlippe. Am liebsten hätte ich laut gebrüllt. Egal, was ich sagte, sie glaubte mir einfach nicht.

»Aber dieses Verhalten kann ich nicht dulden«, fuhr sie fort. »Und wenn du uns anlügst, macht das die Sache nur noch schlimmer.«

»Ich sage die Wahrheit!«, schrie ich.

Mrs Williams schüttelte wieder den Kopf. »Ich bin bereit, dir noch eine Chance zu geben. Aber diese Lügerei muss aufhören. Geh zurück in den Kunstsaal und räum alles ordentlich auf. Und ich möchte dich nie wieder in meinem Büro sehen.«

Mit hängenden Schultern trottete ich zurück in den Kunstsaal.

Das muss in Albtraum sein!, überlegte ich. Was passiert denn da mit mir?

In einem Schrank fand ich Putzzeug und machte mich an die Arbeit. Das dauert ja Stunden!, dachte ich. Und es ist einfach unfair!

Ich sammelte das ganze Gerümpel vom Boden auf und warf es in den Müll. Dann fing ich mit einem Seufzer an, die Farbe von den Wänden zu schrubben.

Plötzlich sah ich aus den Augenwinkeln, wie sich etwas am Fenster bewegte. Ich schaute nach rechts.

Mein eigenes Gesicht starrte zu mir herein – mit genau denselben borstigen roten Haaren und derselben großen Nase.

Mein Herz stand einen Augenblick still.

Da merkte ich, dass es nur mein Spiegelbild im Fenster war.

Jetzt reiß dich aber zusammen, Monty!, sagte ich mir. Ich wandte mich ab und fing wieder an zu schrubben.

Erneut nahm ich diese blitzartige Bewegung am Fenster wahr. Ich blickte auf. War jemand da draußen vor dem Fenster?

Aber wieder war es nur mein Spiegelbild.

Erstaunlich, wie deutlich es zu erkennen war! Vielleicht, weil es draußen so dunkel ist, dachte ich. Ich runzelte die Stirn.

Mein Spiegelbild runzelte ebenfalls die Stirn.

Wie unheimlich. Da bemerkte ich so was wie ein Augenzwinkern. Es sah fast schelmisch aus. Das soll ich sein?, fragte ich mich.

Ich streckte die Zunge heraus.

Auch mein Spiegelbild streckte die Zunge heraus.

Ich hob die linke Hand und wackelte mit den Fingern.

Mein Spiegelbild bewegte sich nicht.

10

Verdattert ließ ich alles fallen und ging zum Fenster.

Ein lautes Klappern ließ mich zusammenzucken.

Plötzlich wurde es dunkel im Raum.

Ich blickte mich panisch im Dämmerlicht um.

Miss Braun stand am Fenster. Sie hielt die Kordel des Rollos in der Hand. Das Rollo war jetzt runtergelassen – und verdeckte das Fenster.

Es verdeckte auch mein Spiegelbild.

Miss Braun schaute mich finster an.

»Was starrst du aus dem Fenster?«, fragte sie streng. »Du sollst sauber machen! Du hast ja noch kaum einen Finger gekrümmt!«

»Ich – ich…«, stammelte ich. »Mein Spiegelbild! Ich…«

Ich gab auf. Wie sollte ich ihr das bloß erklären?

»Schluss jetzt mit dem Unsinn, Monty!«, fauchte Miss Braun mich an. »Geh wieder an die Arbeit!«

Sie warf mir noch einen bösen Blick zu, dann drehte sie sich um und ging zur Tür.

»In einer Stunde komme ich wieder!«, warnte sie mich.

Doch ich hörte ihre Bemerkung kaum. Mir ging mein Spiegelbild nicht aus dem Kopf – mein Spiegelbild, das sich nicht bewegt hatte.

Eine Stunde später kippte ich den letzten Eimer Dreckwasser ins Spülbecken und betrachtete den Kunstsaal.

Er sah schon besser aus, war aber nicht perfekt. Ich hatte es nicht geschafft, die Farbe ganz von den Wänden abzubekommen. Man konnte noch immer blaue und rote Schlieren erkenne.

Aber ich hatte getan, was ich konnte. Ich holte meine Bücher aus dem Schließfach und machte mich auf den Heimweg. Hoffentlich war Nan zu Hause. Ich musste unbedingt mit ihr reden.

Ich hatte das Gefühl, allmählich verrückt zu werden!

Lange Schatten erstreckten sich über den Gehsteig. Eine kühle Brise fuhr durch die Blätter über meinem Kopf. Ich ging schneller, als ich an einem menschenleeren Parkplatz vorbeikam. Nan und Onkel Leo fragten sich bestimmt schon, wo ich steckte.

KRACKS! Irgendwo hinter mir knackte ein Zweig.

Ich blickte über meine Schulter. War da jemand hinter mir?

Aber auf dem Gehsteig schien niemand zu sein.

Ich ging weiter. Nur noch ein paar Häuserblocks, dann war ich zu Hause. Doch als ich unter einem großen Ahornbaum hindurchging, hörte ich boshaftes Gekicher hinter mir.

Ich drehte mich um und starrte in die Dunkelheit.

Da! Ein dunkler Umriss tauchte hinter einem dicken Baumstamm auf.

Mein Herz fing heftig an zu klopfen.

Jemand verfolgte mich.

Vielleicht war es derjenige, der mich im Kunstsaal hereinlegen wollte!

Vielleicht fand ich jetzt raus, was da vor sich ging.

Ich rückte meinen Schulranzen zurecht und zog mir meine Mütze tiefer ins Gesicht.

»Ich weiß, dass da jemand ist!«, rief ich. Mein Puls raste. »Komm doch raus und zeig dich!«

Einen Augenblick lang passierte nichts. Dann trat jemand hinter einem Baum hervor. Es war Simon.

Gleich darauf kamen Vera und Rob, seine beiden Freunde aus dem Kunstunterricht, hinter zwei anderen Bäumen hervor. Erst jetzt merkte ich, wie groß die beiden waren. Mindestens so groß wie Simon.

Doppelt so groß wie ich.

Und sie waren zu dritt! Na dann, gute Nacht.

Sie traten auf mich zu und umzingelten mich.

Simon ballte drohend die Faust.

Oje. Ich schluckte.

»W-was gibt's?«, fragte ich. Es sollte eigentlich cool klingen, aber ich brachte nur ein Quieken hervor.

»Du weißt schon«, knurrte Simon mich an.

»Du hast unseren Vulkan kaputtgemacht«, behauptete einer seiner Freunde. »Ashley hat es uns erzählt.«

»Wir haben drei Wochen dafür gebraucht, ihn aufzubauen«, sagte der andere.

»Das wirst du uns büßen«, murmelte Simon.

»O nein«, stöhnte ich.

»Bitte nicht, Leute«, sagte ich und lächelte schwach. »Ihr macht da einen großen Fehler. Ich hab euren Vulkan nicht...«

Weiter kam ich nicht, denn schon fielen sie über mich her.

11

»Neiiin!« Ich legte schützend die Hände über den Kopf.

»Haltet seine Arme fest!«, rief Simon seinen beiden Kumpels zu.

Ich wehrte mich heftig. Aber es nützte nichts. Ich handelte mir trotzdem ein zerrissenes Hemd und einen Faustschlag gegen meine Nase ein.

Blut rann mir über die Wange. Ich konnte spüren, wie meine Nase anschwoll. Na toll. Jetzt würde sie noch größer aussehen als sowieso schon.

Simon und seine Freunde klatschten sich triumphierend gegenseitig in die Hände, dann rannten sie weg.

Zehn Minuten später hinkte ich durch den Vorgarten zu Onkel Leos Haus. Ich hatte einen Schnurrbart aus getrocknetem Blut, meine Nase pochte und meine Rippen schmerzten.

Ich trat ins Haus und knallte die Tür hinter mir zu. In einem der hinteren Zimmer hörte ich Nan Klavier üben.

»Bist du das, Monty?«, rief sie, als ich die Treppe hochging.

»Ja«, murmelte ich.

»Komm rein! Wir sollten unser vierhändiges Stück üben!«

Ich antwortete nicht und ging einfach weiter.

Ich wollte niemanden sehen. Auch Nan nicht. Ich hatte keine Lust zu erklären, warum ich für etwas zusammengeschlagen wurde, das ich gar nicht getan hatte. Ich wollte nur eins: mich in meinem Zimmer verkriechen.

Lieber wäre ich ins nächste Flugzeug nach Borneo gestiegen und aus Mortonville geflohen.

Am Montagmorgen hatte ich in der dritten Stunde Englisch. Mrs Eckstat, meine Klassenlehrerin, war gleichzeitig meine Englischlehrerin.

Ich kam ein paar Minuten zu spät. Mrs Eckstat warf mir einen strengen Blick zu, als ich auf meinen Platz huschte. Den am Fenster.

Ich setzte mich und holte meine Bücher raus.

»Kann mir jemand sagen, was ein Eigenname ist?«, fragte Mrs Eckstat. »Mal sehen… Monty?«

»Äh...« Wieso musste sie ausgerechnet mich aufrufen? Ich hasse Grammatik! Besonders frühmorgens. Ich kramte in meinem Gedächtnis.

»Äh – eine Person, ein Ort oder ein Ding?«, riet ich.

Mrs Eckstat verschränkte die Arme. »Schon – nur was davon?«

Oje. Ich merkte, wie ich anfing zu schwitzen. Nervös blickte ich mich im Klassenraum um.

Mein Blick traf auf das Fenster – wo mich mein eigenes Gesicht angrinste.

Einen Augenblick dachte ich, ich würde wieder mein Spiegelbild ansehen.

Doch dann fiel mir auf, dass das gar nicht möglich war.

Das Fenster stand sperrangelweit offen!

Da war ein Junge draußen und starrte zu mir herein.

Und er sah haargenau so aus wie ich!

12

Ich sprang von meinem Stuhl auf. »He!«, schrie ich.

»Was ist los, Monty?«, fragte Mrs Eckstat.

Ich antwortete nicht. Ich schaute bloß diesen Jungen draußen vor dem Fenster an. Meinen Doppelgänger.

Er grinste mich spöttisch an. »Was ist los, Monty?«, flüsterte er kaum hörbar.

Dann drehte er sich um und rannte davon.

»He!«, rief ich wieder.

Ohne nachzudenken, sprang ich aus dem Fenster und lief ihm nach.

Er steuerte auf eine Baumgruppe zu. »Bleib stehen!«, brüllte ich, als ich über den Rasen sauste. »Komm zurück!«

Wer war das bloß? Und wo lief er hin?

»Monty!«, hörte ich Mrs Eckstat hinter mir rufen – »Monty – komm auf der Stelle zurück!«

Ohne auf sie zu achten, raste ich einen kleinen Hügel hinauf.

Doch als ich oben ankam, war mein Doppelgänger nirgends mehr zu sehen.

»Nein!«, schrie ich. Wie konnte ich ihn bloß aus den Augen verloren haben? Verzweifelt suchte ich mit den Augen den Rasen ab. Und die Baumgruppe.

Nichts. Er hatte sich in Luft aufgelöst.

Ich beugte mich vornüber und legte die Hände auf die Knie, um nach Luft zu schnappen. Ob er vielleicht unauffällig zur Schule zurückgerannt war?

Ich drehte mich zum Schulgebäude um. Und erkannte das offene Fenster meines Klassenzimmers.

»O nein!«, stieß ich hervor.

Mrs Eckstat stand im Fensterrahmen. Und dazu die

halbe Klasse. Sie starrten mich alle an und zeigten auf mich.

Was hatte ich nur getan? Wie sollte ich das erklären?

Vielleicht hatte jemand anders meinen Doppelgänger ebenfalls gesehen und konnte meine Geschichte bezeugen.

Ich lief zurück zur Schule, aber diesmal nahm ich den Haupteingang. Mrs Eckstat wäre bestimmt nicht begeistert gewesen, wenn ich wieder durchs Fenster geklettert wäre.

Während ich zu meinem Klassenzimmer rannte, hielt ich nach meinem Doppelgänger Ausschau. Aber es war niemand zu sehen. Meine Schritte hallten in den verlassenen Fluren wider.

Mrs Eckstat erwartete mich schon mit verschränkten Armen vor der Tür des Klassenzimmers. »Was hatte *das* denn schon wieder zu bedeuten?«, wollte sie wissen, sie klang, als hätte sie langsam die Nase voll von mir.

»Es tut mir Leid, Mrs Eckstat. Aber ich hab etwas gesehen, etwas wirklich…«, setzte ich an.

Sie fiel mir ins Wort. »Ich weiß zwar nicht, was bei euch in *Kalifornien* für Schulregeln gelten«, schnaubte sie, »aber bei uns ist es nicht üblich, mitten im Unterricht einfach aus dem Fenster zu springen und draußen herumzurennen.«

»Ich weiß. Aber…«, versuchte ich es noch einmal.

»Verstanden?«, unterbrach mich Mrs Eckstat. »So.

Und wenn du die Regeln kennst, dann verstehe ich dein Benehmen umso weniger. Oder sollte das etwa spaßig sein?«

»Nein!«, rief ich entsetzt. »Ich ...«

»Denn wenn dem so wäre, dann lass dir gesagt sein, dass du mit Clownereien in meiner Klasse nicht weit kommst«, sagte Mrs Eckstat streng.

»Aber Mrs Eckstat –«

Mrs Eckstat runzelte die Stirn. »Ich habe genug gehört, Monty. Geh zurück auf deinen Platz. Und denk dran, ich habe ein Auge auf dich.«

Genug gehört? Dabei hat sie mich doch überhaupt nicht ausreden lassen!

Alle starrten mich an, als ich durch den Gang auf meinen Platz schlich. Geflüster und boshaftes Kichern verfolgten mich.

Und ich hatte immer noch nichts über diesen Jungen herausgefunden, der genauso aussah wie ich. Meinen Zwilling.

Meinen Zwilling! Wie war es möglich, dass mir jemand dermaßen glich?

Wer war er bloß? Und wo war er hingegangen?

Und warum versuchte er, mir mein Leben zu zerstören?

»Was ist denn passiert?«, flüsterte Nan mir zu, während wir uns in die Schlange für das warme Mittagessen einreihten. »Alle redeten davon, dass du heute im Englisch-unterricht durchgedreht wärst.«

Ich stellte meinen Teller mit Lasagne auf mein Tablett. »Hast du hier schon mal einen Typen gesehen, der so aussieht wie ich?«, fragte ich sie.

Nan runzelte die Stirn. »Eigentlich nicht«, antwortete sie. »Bis auf George Halloran vielleicht. Der hat auch rote Haare – aber er hat einen Bürstenschnitt. Und er ist ziemlich fett.«

»Nein. Ich meine, jemand, der genauso aussieht wie ich.« Ich ließ meinen Blick durch den Speisesaal gleiten. »*Haar*genauso. Wie ein Zwillingsbruder oder so.«

Nan dachte scharf nach. »Nein. An dieser Schule ist keiner, der dir so ähnlich ist.«

Ich holte tief Luft. »Heute Morgen im Englischun-terricht hat mich ein Junge durchs Fenster angestarrt, der mir aufs Haar gleicht. Deswegen bin ich ihm nach-gerannt, um rauszufinden, wer das ist. Aber er ist ver-schwunden.«

Ich nahm mir eine kleine Packung Milch aus dem Kühlschrank. »Und außer mir hat ihn keiner gesehen.«

»Das gibt's doch nicht«, sagte Nan lachend. »Jetzt mal im Ernst.«

»Das *ist* mein Ernst! Mein völliger Ernst«, erwiderte ich. »Ich sage dir, das ist wirklich passiert!«

»Ach komm«, meinte Nan spöttisch. Ich ging mit ihr zu einem Tisch hinüber. »Vielleicht ist ein Fremder vorbeigegangen, der dir eben zufällig ähnlich sieht. Oder vielleicht war es so was wie eine Fata Morgana.«

»Nein!«, widersprach ich. »Er hat mich angesprochen! Er war wirklich da! Und weißt du was? Ich glaube, er ist derjenige, der dieses Chaos im Kunstsaal angerichtet hat und vorlaut gegenüber Mrs Williams war. Deshalb glauben alle, ich wäre es gewesen – weil wir beide gleich aussehen!«

Nan riss die grünen Augen auf. »Monty, das klingt doch vollkommen verrückt! Ein Junge, der so aussieht wie du, soll sich hier rumtreiben und dir Ärger machen?«

Sie schüttelte den Kopf. Klar dachte sie, ich hätte das alles erfunden.

Aber ich wusste, was ich gesehen hatte.

Und ich wusste auch, an wen ich mich wenden musste. Nämlich an Onkel Leo.

Es gibt nur eine Antwort, dachte ich.

Ich muss einen Zwilling haben. Einen Zwilling, von dem Mom mir nie erzählt hat.

Onkel Leo wird es wissen. Er ist Moms Bruder.

Er muss es mir sagen!

Nach der Klavierstunde am Nachmittag sauste ich nach Hause und rannte in die Küche.

Dort traf ich Onkel Leo an, der sich gerade eine Tasse Kaffee eingoss. Mir fiel auf, dass seine Hände leicht zitterten.

Als er mich erspähte, zuckte er so zusammen, dass der Kaffee überschwappte.

»Montgomery!«, rief er stirnrunzelnd. »Ist denn die Schule schon aus?«

»Onkel Leo.« Ich pflanzte mich vor ihm auf. »Ich muss es wissen. Sag mir die Wahrheit. Habe ich einen Zwilling?«

Onkel Leo erschrak. Sein Gesicht färbte sich langsam feuerrot.

»Wie hast du das herausgefunden?«, hauchte er.

13

Ich schnappte nach Luft. Ich hatte das Gefühl, jeden Moment die Besinnung zu verlieren.

»Heißt das, es stimmt? Ich habe *wirklich* einen Zwilling?«

Onkel Leo starrte mich an. Dann ließ er sich langsam auf einen Küchenstuhl sinken.

»Ja. Aber das ist eine traurige Geschichte«, sagte er leise.

»So?« Ich rutschte auf den Stuhl ihm gegenüber. »Bitte, Onkel Leo, erzähl sie mir!«

Onkel Leo räusperte sich.

»Montgomery, du musst verstehen, dass deine Mutter vor zwölf Jahren noch sehr jung war – und sehr arm«, begann er. »Dein Vater war gerade gestorben und sie blieb allein zurück. Sie war Studentin, hatte keine Arbeit und kein Geld – nichts. Sie hatte noch nicht mal eine Wohnung. Nur ein winziges Zimmer im Studentenheim.«

»Okay, okay. Ich verstehe«, sagte ich ungeduldig. »Erzähl weiter!«

»Als du und dein Zwilling geboren wurdet«, fuhr Onkel Leo fort, »war das der glücklichste Tag ihres Lebens – aber auch der traurigste. Sie wusste, dass sie unmöglich allein für zwei Kinder aufkommen und sich um sie kümmern könnte.«

Onkel Leo nippte an seinem Kaffee und starrte in seine Tasse. »Deine Mutter hat lange und gründlich darüber nachgedacht«, redete er weiter. »Aber zum Schluss musste sie die Wahrheit akzeptieren. Das Beste, was sie für euch beide tun konnte, war, einen von euch wegzugeben. An jemanden, der sich gut um ihn kümmern würde.«

Er zuckte mit den Schultern. »Du kamst zuerst auf die Welt, Montgomery. Zehn Minuten eher. Sie behielt dich und gab deinen Zwilling weg.«

Ich starrte fassungslos auf den Tisch. Ich wusste nicht, was ich davon halten sollte. Es war, als stünde plötzlich die Welt Kopf.

»Wow!«, murmelte ich schließlich. »Das ist ja ein Ding!«

»Es tut mir Leid, dass du das selbst herausfinden musstest. Deine Mutter wollte es dir eigentlich sagen – an deinem dreizehnten Geburtstag«, erklärte Onkel Leo. Nach einer Pause fragte er: »Wie bist du denn dahinter gekommen?«

Ich blickte zu ihm auf. »Ich hab ihn gesehen. Er wohnt irgendwo in dieser Stadt. Ist das nicht erstaunlich?«

»Er?«, wiederholte Onkel Leo. Er machte ein ganz verdattertes Gesicht. »Nein, nein. Dein Zwilling ist kein Junge. Montgomery.« Onkel Leo beugte sich vor. »Nan ist dein Zwilling!«

14

»*Nan*?«, rief ich aus und schaute Onkel Leo ungläubig an. »*Nan* ist meine Zwillingsschwester?«

»Natürlich«, sagte Onkel Leo. »Ich dachte, das wäre dir klargewesen. Deine Mutter wollte ihre Tochter nicht einem Fremden überlassen. Und deine Tante Susan und ich wollten immer schon eigene Kinder haben. Ich habe Nan all die Jahre wie meine eigene Tochter großgezogen. Aber sie ist nicht meine Tochter. Sie ist deine Zwillingsschwester.«

»Aber... aber...«, stammelte ich. Ich fasste mir an den Kopf. Ich konnte es einfach nicht begreifen.

»Weiß sie es?«, fragte ich dann.

»Nein. Noch nicht«, antwortete Onkel Leo. Er räusperte sich. »Ich wollte es ihr auch an ihrem dreizehnten Geburtstag sagen, genau wie deine Mutter dir. Aber jetzt muss sie es wohl erfahren. Ich möchte es ihr selbst sagen. Allein, wenn es dir nichts ausmacht. Das wird ein... Schock für sie sein.«

»Bestimmt«, sagte ich. *Mich* hatte die Neuigkeit ja schon wie ein Blitz aus heiterem Himmel getroffen. Ich konnte mir gar nicht vorstellen, wie *Nan* erst reagieren würde. Der Mann, den sie immer für ihren Vater gehalten hatte,... war ihr Onkel!

Und sie hatte einen Bruder – *mich*!

Wenn das kein Schock ist.

Plötzlich wurde ich von einem Glücksgefühl überwältigt. Ich hatte eine Schwester! Eine Zwillingsschwester! Und meine Zwillingsschwester war Nan!

Das war irgendwie cool. Aber auch absolut unheimlich. Die ganze Zeit hatte ich eine Zwillingsschwester gehabt und nichts davon gewusst.

Womöglich gab es noch mehr, was ich nicht wusste?

Mich beschlich das Gefühl, als könnte ich niemandem mehr trauen. Woher sollte ich wissen, was Wirklichkeit war? Oder die Wahrheit?

Besonders merkwürdig war, dass Onkel Leo mich immer noch nicht ganz aufgeklärt hatte.

»Aber was ist mit diesem Jungen, der genauso aussieht wie ich?«, fragte ich ihn. »Wer war das?«

»Davon weiß ich nichts«, murmelte Onkel Leo stirnrunzelnd. »Das muss ein Zufall sein.« Er starrte einen Augenblick in die Luft.

»Onkel Leo?« Ich drängte auf eine Antwort.

Er riss sich aus seiner Trance. »Ja, das ist ein Zufall. Nichts weiter.«

»Aber…«, fing ich an.

Wir zuckten beide zusammen, als jemand die Haustür zuschlug. »Hallo?«, hörten wir Nans Stimme rufen. »Ist jemand zu Hause?«

Onkel Leo und ich blickten uns an. Ich stand auf.

»Ich lasse euch allein«, flüsterte ich.

Ich lief zur Hintertreppe, damit Onkel Leo Nan diese verwirrende Neuigkeit unter vier Augen mitteilen konnte. Außerdem musste ich sowieso nachdenken.

Mein Leben wurde von Minute zu Minute unheimlicher.

»Ich kann es immer noch nicht glauben«, murmelte Nan. »Du bist gar nicht mein Cousin, sondern mein Bruder. Und Dad ist nicht Dad, sondern Onkel Leo. Und

Tante Rebecca ist meine Mutter.« Sie schüttelte fassungslos den Kopf.

Es war schon nach Mitternacht. Nan und ich saßen auf ihrem Bett und redeten. Seit Stunden schon.

»Aber du musst doch zugeben, dass es so manches erklärt«, sagte sie. »Zum Beispiel, dass wir beide gut Klavier spielen können.«

»Vielleicht. Aber wir sehen uns nicht besonders ähnlich«, gab ich zu bedenken. »Ich meine, wir haben zwar beide rote Haare und wir sind beide groß und dünn, aber...«

»Aber ich sehe viel besser aus als du«, unterbrach mich Nan grinsend. »Wir sind ja auch zweieiige Zwillinge, nicht eineiige. Wenn Zwillinge Junge und Mädchen sind, sind sie nie genau gleich, Dummkopf.«

»He – pass bloß auf!« Ich boxte sie gegen die Schulter. »Denk daran, ich bin dein älterer Bruder!«

»Ja, lächerliche zehn Minuten älter, na und?«, spottete Nan.

»He! Eigentlich hätten wir selbst drauf kommen können. Weißt du wie?«, fragte ich.

»Weil wir am selben Tag Geburtstag haben?«, erwiderte Nan.

»Ja – auch. Ich meine außerdem. Weißt du noch damals im Sommer, als wir bei Evan Seymour zum Geburtstag eingeladen waren? Wir waren beide sieben!«

»Ach, dieses verwöhnte Kind mit den schiefen Zähnen?«, meinte Nan.

»Genau. Und erinnerst du dich an diese coole Modelleisenbahn, die er zum Geburtstag gekriegt hat?«, fuhr ich fort. »Und dann, als die Party zu Ende war, fehlten plötzlich die Lokomotive und der Bremswagen und keiner konnte sie finden.«

»Ja…« Nan sah mich fragend an. »Und?«

Ich beugte mich zu ihr vor. »Also, ich habe die Lokomotive geklaut«, sagte ich im Flüsterton. »So was Cooles wie diese Lokomotive hatte ich noch nie im Leben gesehen. Ich musste sie unbedingt haben. Und später, als ich in dein Zimmer ging, um etwas zu suchen, fand ich den Bremswagen in deiner Schreibtischschublade.«

Nan wurde rot. »Machst du Witze? Soll das heißen, du wusstest genau, dass ich den Bremswagen geklaut habe, und hast mir nie was davon gesagt?«

»Was sollte ich denn sagen?«, entgegnete ich. »Ich hab doch die Lokomotive geklaut. Wenn ich was gesagt hätte, wäre ich vielleicht selber dran gewesen. Und außerdem«, fügte ich schulterzuckend hinzu, »konnte ich diesen Evan noch nie leiden.«

»Ja, der war wirklich bescheuert«, stimmte Nan zu.

Wir brachen beide in schallendes Gelächter aus.

»Das ist nicht zu fassen!«, rief Nan. »Da hatten wir alle die Jahre beide dasselbe Geheimnis!«

»Bist du jetzt… bist du böse auf Mom?«, fragte ich

dann vorsichtig. »Ich meine, weil sie dich nicht behalten hat.«

Nan runzelte die Stirn und senkte den Blick. Sie spielte mit dem Ende ihres langen roten Zopfes.

»Ich weiß nicht«, sagte sie nach einer Weile. »Ich meine, es ist schon ein komisches Gefühl, wenn ich so darüber nachdenke. Dass sie die ganze Zeit wusste, dass ich ihre Tochter bin, aber nie was gesagt hat.«

Ich schüttelte den Kopf. »Ich kann es immer noch nicht fassen. Aber ich weiß, dass sie dich sehr lieb hat, vielleicht beruhigt dich das. Sie spricht immer in den höchsten Tönen von dir.«

Sie zuckte mit den Schultern. »Ich weiß. Tante Rebecca – ich meine, Mom...« Sie schauderte. »Wie merkwürdig das klingt! Mom. Jedenfalls ist sie immer unheimlich nett zu mir gewesen. Fast jeden Sommer durfte ich bei euch sein. Sie ruft mich oft an und schreibt mir Briefe. Ich glaube, sie liebt mich wirklich. Auch wenn sie mich nicht behalten konnte.«

Sie machte eine Pause. »Was soll ich denn zu ihr sagen, wenn ich sie das nächste Mal sehe? Wenn sie dich abholen kommt?«

Ich überlegte. »Ich weiß nicht. Aber wir haben noch viel Zeit, darüber nachzudenken.«

Ich ließ meinen Fuß übers Bett baumeln. Mir schwirrten so viele Fragen durch den Kopf, dass ich dachte, ich müsste explodieren.

»Was ist mit Onkel Leo?«, fügte ich hinzu. »Bist du böse auf ihn, dass er dir das nicht früher gesagt hat?«

Nan schüttelte den Kopf. »Zuerst schon, aber jetzt nicht mehr. Er ist doch mein Vater und ich liebe ihn. Er wird für mich immer mein Vater sein. Dass er in Wirklichkeit mein Onkel ist, ändert nichts daran. Und er wollte es mir ja auch sagen, wenn ich dreizehn bin.«

Ich gähnte. »Ich glaube, ich gehe jetzt besser ins Bett.« Ich stand auf und ging zur Tür. »Bis morgen früh – Schwesterherz.«

»Igitt!« Nan gab einen Würgelaut von sich. »Egal, ob du mein Bruder bist oder nicht, aber nenne mich nie wieder Schwesterherz! Das klingt *so* blöd!«

Ich lachte und machte die Tür hinter mir zu.

Gerade als ich im Flur am Telefon vorbeikam, läutete es.

Seltsam: Wer rief denn um diese Zeit noch an?

Ich nahm den Hörer ab. »Hallo?«

»Jetzt bist du dran«, hörte ich eine drohende Jungenstimme.

»Was?«, fragte ich verdattert. »Wer ist da?«

»Jetzt bist du dran«, wiederholte die Stimme. »Jetzt wird's ernst für dich, Monty. Sehr ernst. Ab sofort.«

»Wer ist da?«, hauchte ich entgeistert ins Telefon. »Wovon sprichst du?«

KLICK!

»Hallo? Hallo?«

Keine Antwort.

Es war niemand mehr dran.

Ich stand in meinem Pyjama im Flur und hielt den Telefonhörer umklammert. Ein kalter Schauer lief mir über den Rücken.

Wer hatte da bloß angerufen?

Und was meinte er damit, jetzt wird es ernst?

Was hatte der Anrufer mit mir vor?

»Bist du nervös?«, flüsterte Nan.

»Schon. Und du?«, flüsterte ich zurück.

»Und wie«, gab sie zu.

Es war am darauf folgenden Freitag. Nan und ich warteten hinter der Bühne der Aula. Gleich sollten wir unser Klavierstück vorspielen.

Ich betrachtete noch einmal prüfend mein blaues Hemd und meine khakifarbene Hose. Beide schienen okay zu sein. Keine Essensflecken oder so.

Vier Tage waren seit dem unheimlichen Telefonanruf vergangen – aber es war nichts passiert. Vielleicht noch nicht.

Wahrscheinlich war es nur Simon, ging es mir durch den Sinn. Der wollte mich bloß an der Nase rumführen und mich ärgern, weil er dachte, ich hätte seinen Vulkan kaputtgemacht.

Aber wenn es nun nicht Simon war?

Irgendjemand mischte sich da in mein Leben ein. Und gab vor, ich zu sein. Damit ich beschuldigt werde für Sachen, die ich gar nicht gemacht hatte.

Vielleicht konnte mein Doppelgänger mich anrufen?

Die Direktorin kam jetzt zum Ende ihrer kleinen Rede. Gleich kamen Nan und ich dran. Ich sehe besser noch mal nach, ob ich meine Noten alle dabei habe, dachte ich und schlug meine schwarze Plastikmappe auf.

Mir stockte das Herz.

Die Mappe war leer. Absolut leer.

»O nein!«, rief ich erschrocken aus. »Meine Noten! Sie sind nicht da!«

»Was?« Nan packte mich am Arm. »Du Trottel! Hast du sie zu Hause vergessen?«

»Nein! Ich habe meine Mappe drei Mal kontrolliert, bevor wir aufgebrochen sind«, sagte ich. Dann schnippte ich mit den Fingern. »Sie müssen in meinem Schließfach sein! Vielleicht sind mir die Noten vorhin aus der Mappe gefallen. Ich muss sie holen!«

»Aber wir sind gleich dran«, flüsterte Nan verzweifelt.

»Was soll ich denn jetzt tun?«

»Halt sie auf. Spiel ein Solo. Was weiß ich!«

Ich raste durch die Seitenbühne in den Gang. Mein Schließfach war natürlich am ganz anderen Ende des Gebäudes. Klar.

Ich schlitterte auf mein Schließfach zu und wählte hastig die Nummer des Zahlenschlosses. »Zwölf – sieben – elf«, murmelte ich atemlos, während ich in Windeseile die Scheibe drehte.

Ich drückte das Schloss auf und die Metalltür sprang auf. Ich starrte ins Innere des Schließfachs.

Meine Jacke hing an einem Haken. Und meine Bücher lagen als Stapel im oberen Fach.

Aber da waren keine Notenblätter.

Ich zerrte die Bücher heraus und blätterte wie wild darin herum, aber ohne Erfolg. Lagen die Noten vielleicht in meinem Notizbuch?

Nein. Nichts.

Ich hatte keine Idee, wo sie noch sein konnten.

Vielleicht habe ich sie irgendwo auf dem Flur verloren, dachte ich. Oder in der Toilette liegen lassen.

Ich stolperte durch die Gänge und suchte dabei den Fußboden ab. Von den Noten keine Spur.

Ich bog um eine Ecke und erblickte eine offene Tür. Ich blieb kurz stehen und spähte in das Zimmer hinein.

Es war nur ein Vorratsraum.

Doch bevor ich mich umdrehen konnte, versetzte mir plötzlich jemand von hinten einen heftigen Stoß.

UFF! Ich landete auf dem Bauch und die Tür knallte zu. Es wurde dunkel im Raum.

»He!«, rief ich.

KLICK! Ein Schlüssel drehte sich im Schloss. Ich sprang auf und rüttelte an der Tür.

Jemand hatte mich eingeschlossen!

»Lass mich raus«, schrie ich und hämmerte mit den Fäusten gegen die Tür.

Keine Antwort.

»Mach auf!«, brüllte ich. »Lass mich raus! Sofort!«

Ich legte mein Ohr an die Tür und lauschte, aber ich konnte nichts hören.

Mein Magen zog sich zu einem Bleiklumpen zusammen.

Jemand hat mich hier mit Absicht eingesperrt, dachte ich. Aber warum?

Ich rüttelte noch einmal an der Tür. Sie gab nicht nach.

Was soll ich jetzt bloß machen?

Ich schnupperte. Dann musste ich husten. Ein scharfer, bitterer Geruch lag in der Luft. Und Rauch schien aufzusteigen.

Da merkte ich, dass der Geruch – und der Rauch – von einer ölig aussehenden Lache kam. Noch mehr von dem Zeug quoll aus einer großen Plastikflasche, die auf dem Boden lag.

»Ohhh«, stöhnte ich.

Und dann fing ich wieder an zu husten.

Ich hustete und prustete.

Eine dicke graue Wolke stieg aus dem Flaschenhals auf.

»Nein!«, stieß ich hervor.

Diese Dämpfe! Ich ersticke daran!

Ich kriege keine Luft mehr!

Kriege keine Luft mehr!

16

Hustend und würgend hielt ich mir den Bauch.

»Hilfe!« Ich versuchte zu schreien, brachte aber keinen Ton heraus.

Dann hämmerte ich wieder gegen die Tür. Doch niemand kam, um mich rauszulassen.

Giftige Rauchwolken quollen aus der Flasche am Boden hervor.

Ich bin in Gefahr!, dachte ich. Wenn ich nicht bald hier rauskomme, werde ich ohnmächtig!

Oder ich sterbe!

Ich schaute mich angestrengt in dem kleinen Zimmer um, weil mir von dem Rauch die Augen tränten und brannten.

Doch dann erspähte ich Licht, das durch ein kleines rechteckiges Fenster unterhalb der Decke fiel. Es war so eines, das oben mit einem Riegel befestigt ist und nach unten gezogen wird.

Es war sehr hoch oben. Ob ich da durchklettern kann?, überlegte ich.

Ich muss. Ich habe keine andere Wahl!

Ich torkelte zu dem Fenster hinüber. In einer Ecke standen einige Mülltonnen aus Metall. Ich zerrte eine davon unter das Fenster und drehte sie um. Dann stellte ich mich drauf.

Der Rauch war hier oben noch viel dicker. Ich zog mein Hemd aus der Hose und bedeckte damit Mund und Nase.

Dann griff ich nach dem Riegel des kleinen Fensters und zog mit aller Kraft daran.

»Na komm schon!«, keuchte ich. »Geh schon auf. Geh auf!«

POPP! Endlich schwang das Fenster auf. Es schwang herab und knallte gegen die Betonwand. Dabei ging eine der Scheiben zu Bruch. Aber darum konnte ich mir jetzt keine Gedanken machen.

Hustend klammerte ich mich am Fensterrahmen fest und zog mich hoch. Meine Arme zitterten.

Ich schaffe es nicht, dachte ich.

Ich habe nicht genug Kraft, mich hindurchzuziehen!

Doch dann war mein Kopf draußen und ich schnappte nach frischer Luft.

Einen Moment lang sog ich tief die Luft ein.

Dann zwängte ich mich ganz durch das kleine Fenster hindurch. Es war Millimeterarbeit. »Au!«, rief ich aus, als ich mit meiner Hose an einem Nagel hängen blieb. Ich musste mehrmals heftig an ihr zerren, bis sie zerriss und ich freikam.

Endlich war ich draußen. Keuchend streckte ich mich auf dem Gras aus. Gräulicher Rauch sickerte durch das kleine Fenster und trieb mit dem Wind davon.

Nach einer Weile fühlte ich mich stark genug aufzustehen und ich hinkte auf den Haupteingang der Schule zu.

Die Chance, das Duo mit Nan vorzutragen, hatte ich wohl verpasst. Aber egal. Hauptsache, ich lebte noch.

Ich stolperte auf die Aula zu. Mir war richtig schlecht und ich musste von Zeit zu Zeit immer noch husten. Meine Lunge kam mir vor wie ein Reibeisen.

Ich schlüpfte hinter die Bühne. Dort hörte ich Klavierspielen, dann Applaus.

Nan hatte wohl ohne mich angefangen.

Ich trat zwischen die Kulissen und spähte auf die Bühne. Nan stand vor dem Klavier und verbeugte sich.

Und da sah ich noch etwas: *Ich* war ebenfalls auf der Bühne!

Sprachlos starrte ich den Jungen auf der Bühne an, der genauso aussah wie ich!

Er hatte meine roten Haare. Meine Nase. Mein schmales, längliches Gesicht.

Er trug sogar eine khakifarbene Hose und ein blaues Hemd!

Er und Nan verbeugten sich gemeinsam vor dem Publikum. Ich war starr vor Entsetzen. Sie denkt, das wäre ich!, sagte ich mir. Meine eigene Kusine – ich meine, Schwester! – denkt, der Junge auf der Bühne wäre ich!

Er tut so, als wäre er ich!

Wer *ist* das bloß? Warum macht er das?

Ich musste dahinter kommen. Jetzt war die Gelegenheit da.

Das ganze Saal würde Zeuge sein. Alle würden sehen, dass ich einen Doppelgänger hatte. Und dann würden sie mir endlich glauben.

»He!«, brüllte ich von der Seitenbühne hinüber.

Mein Doppelgänger fuhr herum. Wir starrten uns an.

Ich wollte auf die Bühne treten. Doch mein Doppelgänger sprang auf den Stutzflügel zu und schob ihn mit aller Kraft an. Der Flügel rumpelte über die Bühne wie ein rasender LKW.

Er donnerte geradewegs auf mich zu!

Eine Sekunde stand ich völlig verblüfft mit offenem Mund da.

Er wollte mich umbringen – mit dem Flügel!

Der Flügel schoss auf mich zu. Er würde mich zerquetschen! Ich saß in der Falle!

In letzter Sekunde sprang ich zur Seite.

Der Flügel donnerte an mir vorbei. Ich spürte den Wind, als er vorbeisauste.

RUMMMS!, krachte er gegen die Seitenwand der Bühne.

Keuchend lehnte ich mich an die Wand.

Aus dem Publikum hörte ich schockierte Schreie. Ich konnte Nans erschrockenes Gesicht sehen, als sie in die Kulissen starrte. Ihr Mund stand weit offen.

Mein Doppelgänger rannte an mir vorbei, während ich mich noch immer von dem Schreck erholte.

Er lachte.

»He!«, brüllte ich und raste hinter ihm her. »Komm zurück! Komm zurück!«

Mein Doppelgänger stampfte den menschenleeren Flur entlang. Ich hinter ihm her.

»Stopp!«, schrie ich. »Was treibst du denn? Wer bist du?«

Mein Doppelgänger bog um die Ecke. Er steuerte auf den Ausgang zu! Er drohte mir zu entwischen!

Ich biss die Zähne zusammen und stürmte nach ihm um die Ecke.

Und plötzlich stand er vor mir, Auge in Auge!

Stolpernd blieb ich stehen. Ich war völlig außer Atem.

»Wer – bist – du?«, keuchte ich. »Wer?«

Der Junge mit meinem Gesicht grinste mich spöttisch an.

»Willst du die Wahrheit über mich wissen?«, fragte er.

»Ja!«, schrie ich. Meine Stimme hallte im Flur wider.

»Du hältst dich wahrscheinlich für ziemlich toll«, schnaubte er. »Aber das bist du nicht. Ich bin besser als du. Und ich werde es dir beweisen.«

Mein Doppelgänger trat einen Schritt auf mich zu.

Dann holte er mit der Faust aus und boxte mir in den Magen. Und wie! So hatte mich noch nie einer geboxt.

Ich krümmte mich vor Schmerzen und rang nach Luft. Rote Punkte tanzten mir vor den Augen.

Mit verschwommenem Blick sah ich zu ihm auf.

»Ich übernehme dein Leben, Monty«, sagte er leise. »Und du kannst mich nicht davon abhalten. Mehr brauchst du nicht zu wissen.«

17

Mit diesen Worten drehte er sich um und rannte auf den Ausgang zu.

Ich versuchte, ihm zu folgen, aber meine Beine waren wie aus Gummi. Ich wollte tief einatmen, aber es ging nicht.

Meine Knie gaben nach und ich sackte auf den Linoleumboden.

Mir schwirrte der Kopf.

Und mir wurde schwarz vor Augen.

Ich werde ohnmächtig!, dachte ich schummerig.

»Nein!«, stöhnte ich.

Das darf nicht sein!

Ich muss ihm folgen! Ich muss herausfinden, wo er wohnt. Und wer er ist.

Ich muss ihn aufhalten, bevor er mir vollständig mein Leben zerstört!

Keuchend rappelte ich mich auf und taumelte durch die Ausgangstür ins Freie.

Draußen stützte ich mich kurz gegen die Mauer und holte tief Luft. Jetzt ging es schon etwas besser.

Ich suchte mit den Augen die Straße in beiden Richtungen ab. Wohin war er gelaufen?

Da! Ich konnte gerade noch sein rotes Haar aufleuchten sehen, bevor er um die Ecke bog. Ich stolperte ihm hinterher. Er war ungefähr einen halben Häuserblock von mir entfernt.

Den lasse ich nicht aus den Augen, koste es, was es wolle, sagte ich mir. Wie konnte mir nur jemand dermaßen ähnlich sehen? Und was meinte er damit, als er sagte, er würde mein Leben »übernehmen«?

Mein Doppelgänger schien es jetzt nicht mehr eilig zu haben. Er merkte nicht, dass ich ihm auf der Spur war. Er hob einen Stock auf und strich damit an den schmiedeeisernen Zäunen entlang. *KLÄNG! KLÄNG! KLÄNG!*

Dann warf er den Stock weg und holte etwas aus seiner Tasche. Ich konnte nicht erkennen, was es war.

Er schüttelte es, dann zielte er damit auf ein Auto. Eine dunkle Wolke zischte heraus.

Farbspray! Ich erschrak. Mein Doppelgänger war dabei, das Auto zu besprühen!

Also, dieser Typ machte doch wirklich nichts als Ärger!

Wenn ich ihn nicht aufhielt – und zwar gleich – dann würde er es nicht nur so weit bringen, dass ich von der Schule flog, sondern ich kam dann auch noch ins Gefängnis.

Ich stürzte auf ihn zu, stieß dabei aber unglücklicherweise gegen eine Flasche auf dem Gehsteig. Scheppernd rollte sie in den Rinnstein.

Mein Doppelgänger wandte sich blitzartig um.

»Oje«, murmelte ich und versteckte mich schnell hinter einem Baum. Ob er mich gesehen hatte?

Ich zählte bis zehn, dann spähte ich vorsichtig hinter dem dicken Baumstamm hervor.

Nein. Er hatte mich nicht gesehen. Er machte eine letzte Handbewegung mit der Sprühdose, bevor er sie wieder einsteckte und weiterging.

Ich folgte ihm. Doch als ich zu dem Auto kam, das er

voll gesprüht hatte, blieb ich stehen und starrte es entsetzt an. Er hatte ein riesengroßes rotes Herz auf die Tür des weißen Autos gesprüht. Und in der Mitte des Herzens standen die Worte:

MONTY LIEBT ASHLEY FÜR IMMER.

»O nein«, stöhnte ich.

Ich zog mein Hemd aus der Hose und versuchte, mit dem Zipfel die Farbe abzureiben. Zu spät. Sie war schon getrocknet.

Ich wusste, dass Ashley auf dem Heimweg hier immer vorbeikam. Die halbe Schule kam hier vorbei.

Sie würden es alle sehen.

Sie würden alle glauben, ich hätte es geschrieben.

Und ich konnte nichts dagegen tun.

»Mist!« Zornig schlug ich auf die Motorhaube. Dann nahm ich die Spur meines Doppelgängers wieder auf.

Ich musste ihn aufhalten!

Ich folgte ihm über drei weitere Häuserblocks.

Als er auf der Chester Street nach links abbog, wurde ich stutzig.

Er nahm denselben Heimweg wie ich!

Wo konnte dieser Junge bloß wohnen?

Er überquerte die Chester Street an der Ampel und ging weiter in Richtung meines Häuserblocks.

Das gibt's doch nicht, dachte ich. Er kann doch unmöglich im selben Häuserblock wohnen wie ich. Das müsste Nan und Onkel Leo doch aufgefallen sein.

Plötzlich bog mein Doppelgänger nach rechts ab.

In die Einfahrt von Onkel Leos Haus!

»Hä?«, stieß ich hervor.

Ich durfte keine Zeit mehr verlieren. Ich musste ihn schleunigst einholen. Hastig rannte ich die Straße entlang. Und nahm die Abkürzung über den Vorgarten.

Schlitternd blieb ich stehen. Und traute meinen Augen nicht.

Mein Doppelgänger kletterte durchs Küchenfenster in Onkel Leos Haus!

18

»Das ist doch nicht möglich!«, rief ich aus.

Was hatte der denn bei mir zu Hause verloren?

Hatte er sich etwa bei Onkel Leo schon für *mich* ausgegeben? Immerhin war Nan darauf reingefallen – wieso also nicht auch Onkel Leo?

Und wenn nun Onkel Leo dachte, *ich* wäre der Doppelgänger – und mich rauswarf? Dann würde der andere wirklich mein Leben übernehmen!

Ich rannte zur Haustür und kramte in meiner Tasche nach dem Schlüssel. Ich schloss auf und stieß die Tür auf.

»Onkel Leo?«, brüllte ich. Ich sauste in Richtung

Küche. »Onkel Leo! Sieh dich vor! Dieser Junge, das bin nicht ich! Er ist nicht Monty!«

Stille.

Da fiel es mir ein. Onkel Leo war vermutlich noch in der Schule. Er war zum Konzert gegangen, um Nan und mich Klavierspielen zu hören.

Ich platzte in die Küche und blickte mich verzweifelt um.

Leer. Der Raum war leer. Die Vorhänge am offenen Fenster bewegten sich leicht im Wind.

Wohin war er bloß gelaufen? Wo war mein Doppelgänger? Was hatte er hier zu suchen?

Ich jagte durchs Haus und suchte alle Räume nach ihm ab.

Er war nicht im Wohnzimmer. Auch nicht im Esszimmer. Und nicht im Fernsehraum.

Ich spähte in Onkel Leos Arbeitszimmer. Niemand da. Ein Bildschirmschoner aus chemischen Formeln lief über seinen Computermonitor.

Ich rannte in den ersten Stock hinauf, stürmte durch den Flur und riss alle Türen auf.

Nichts.

Ich konnte ihn nirgends finden. Ich sah sogar auf dem Dachboden nach.

Schließlich trottete ich keuchend die Vordertreppe hinab.

Wo konnte er nur hingegangen sein? Hatte er sich

aus dem Haus geschlichen, während ich oben nach ihm suchte?

Was hatte er vor?

Gerade, als ich unten ankam, riss jemand die Tür auf und Nan kam hereingerannt.

»Monty!«, rief sie aus, als sie mich erblickte. »Was ist los mit dir? Du bist wohl völlig verrückt geworden! Wieso hast du den Flügel gegen die Wand geknallt? Was fällt dir ein?«

Ich packte sie am Arm. »Nan, hör zu. Du musst mir glauben!«, schrie ich. »Das war ich nicht! Ich schwöre dir, das war nicht ich! Ich war hinter der Bühne – ich hab alles mit angesehen. Ich sage dir, ich habe wirklich einen Doppelgänger! Er hat den Flügel gegen die Wand gestoßen! Er ist böse!«

»Red keinen Quatsch«, fauchte Nan mich an. »Das ist nicht witzig!«

»Ich mache keine Witze! Warum glaubst du mir nicht?«, rief ich.

»Du behauptest also, du hättest einen Doppelgänger, der so aussieht wie du und sich auch so anzieht wie du?« Nan verschränkte die Arme. »Du willst mich wohl für dumm verkaufen?«

»Er ist mein Doppelgänger. Mein Zwilling. Ich schwöre es! Das ist doch nicht unmöglich, denk doch mal nach. Ich bin schließlich auch *dein* Zwilling und das hast du bis vor einer Woche auch nicht gewusst!«

Nan riss die Augen auf. »Willst du damit sagen – oh, wow!«

Ich nickte. »Nan, womöglich sind wir nicht bloß Zwillinge! Womöglich sind wir Drillinge?«

Nan fasste sich an die Stirn. »Das darf doch nicht wahr sein«, murmelte sie. »Komm. Wir fragen Dad.«

»Onkel Leo? Ist der denn nicht auf dem Konzert?«

Nan rannte schon den Flur entlang. »Nein, er ist nicht gekommen«, rief sie zurück. »Er musste heute Morgen einen Beitrag für ein Wissenschaftsmagazin schreiben. Wahrscheinlich hat er über seiner Arbeit mal wieder alles andere vergessen.«

Sie stieß die Tür zu Onkel Leos Arbeitszimmer auf und ging hinein. »Dad?«

»Da ist er nicht«, sagte ich und folgte ihr. »Ich hab schon nachgesehen.«

»Vielleicht ist er im Labor.« Nan biss sich auf die Unterlippe.

»Wir müssen reingehen und mit ihm reden. Wir müssen die Wahrheit rausfinden!«

Ich wollte gerade den Raum verlassen, da fiel mein Blick auf ein Blatt Papier, das auf Onkel Leos Drucker lag. Der Titel sprang mir ins Auge:

DIE ZUKUNFT DES KLONENS von Dr. Leo E. Matz.

Ich schnappte nach Luft. Einen Augenblick lang schien der Raum zu schwanken. Ich musste mich an der Schreibtischkante fest halten, um nicht das Gleichgewicht zu verlieren.

»Nan!«, krächzte ich. »Sieh dir das an!«

Nan drehte sich um und starrte das Blatt Papier an. »Na und?«

»Verstehst du denn nicht!«, sagte ich atemlos. »Der Doppelgänger ist ein Klon! Er hat mich geklont! Onkel Leo hat mich geklont!«

19

»Er hat dich geklont? Wow! Jetzt *weiß* ich endgültig, dass du spinnst!«, rief Nan aus. »Selbst wenn er das könnte – was aber nicht der Fall ist – würde mein Vater dich niemals klonen!«

»Woher willst du das wissen?«, schrie ich sie an.

Nan schaute mich an. »Ich weiß es eben. So was Bescheuertes würde er nie tun!«

»Aber es passt doch alles zusammen!«, widersprach ich.

Jetzt wurde mir alles klar. »Erinnerst du dich, wie Onkel Leo mir diese Anstecknadel geschenkt hat – und mich damit in den Finger gestochen hat? Und dann hat er sein Taschentuch rausgezogen und das Blut weggewischt. So ist er an eine Zellprobe oder so was rangekommen.«

»Das stimmt nicht!« Nans grüne Augen funkelten mich böse an. »Ich glaube dir nicht, Monty. Er wollte dir bloß eine Freude machen.«

»Aber mein Doppelgänger ist nur wenige Tage später aufgetaucht«, gab ich zu bedenken. »Ein paar Tage, nachdem Onkel Leo mir das Blut mit seinem Taschentuch abgewischt hat, taucht ein Junge auf, der genauso aussieht wie ich. Und als ich ihm folge, geht er in *dieses* Haus. Wie erklärst du dir das?«

Nan machte ein finsteres Gesicht. »Was weiß ich. Ich bin mir nur sicher, dass mein Vater dich nicht geklont hat«, sagte sie. »Du irrst dich, Monty. Total. Und ich werde es dir beweisen.«

Ich verschränkte die Arme. »So, und wie?«

»Ich frage ihn einfach. Und zwar jetzt sofort«, erklärte Nan. »Komm. Er muss in seinem Labor sein. Los.«

Sie wirbelte herum und marschierte auf die weiße Metalltür zu.

Ich folgte ihr etwas langsamer. Ich hatte Angst davor, Onkel Leo unter die Augen zu treten.

Aber ich musste die Wahrheit wissen.

Hatte Onkel Leo mich wirklich geklont?

Nan riss die Tür zum Labor auf und trat ein. Ich war direkt hinter ihr.

Sie blieb so plötzlich stehen, dass ich auf sie prallte. Ich hörte, wie sie erschrocken japste.

Dann sah ich, was los war. Ich schnappte ebenfalls nach Luft.

Onkel Leo stand vor uns. Er trug einen weißen Arbeitskittel.

Neben ihm stand mein Doppelgänger.

Und neben *dem* stand noch ein Doppelgänger.

Und noch einer. Und noch einer.

Insgesamt vier exakte Kopien von mir standen in Onkel Leos Labor.

20

Die vier Klone lächelten mich an. »Hallo, Monty!«, riefen sie klar und deutlich.

»Ich kann's nicht glauben!«, stieß ich hervor.

Ich hatte das Gefühl, den Verstand zu verlieren!

Onkel Leo starrte mich an. »Ich habe euch doch ausdrücklich davor gewarnt, mein Labor zu betreten!«, zischte er.

Nan trat einen Schritt auf ihn zu. »Aber... aber, Dad... warum?«, rief sie. »Warum hast du Monty das angetan?«

Onkel Leo streckte die Brust heraus.

»Ich bin Wissenschaftler«, erklärte er. »Ich kann mich nicht um die albernen Probleme eines einzelnen Jungen kümmern. Mit meinem Klonprojekt werde ich die Welt verändern. Für immer.«

»Nein«, rief ich aus. »Das darfst du nicht! Ich…«

Onkel Leo runzelte die Stirn. »Es tut mir Leid. Ich hatte gehofft, dass es nicht so weit kommen würde. Aber ich kann nicht zulassen, dass ihr mir alles kaputtmacht.«

Er wandte sich an die Klone. »Fasst sie!«, brüllte er und zeigte auf Nan und mich. »Lasst sie nicht entwischen!«

Sofort bezogen die Klone Stellung.

»Dad! Nein!«, jammerte Nan.

Ich schluckte. Was würden sie mit uns machen? Wie konnte sich Onkel Leo bloß so gegen uns stellen?

Die Klone rückten näher.

Wir mussten hier raus. Ich packte Nan am Arm und wich mit ihr langsam zur Tür zurück.

»Wo willst du hin, Monty?«, rief einer der Klone. Er sprang hinter uns vor die Tür und rammte den Riegel vor.

Wir waren eingesperrt!

Sie umzingelten uns. Nan und ich drängten uns dicht aneinander. *Denk nach!*, sagte ich mir. *Du musst einen Ausweg finden!* Der Kreis der Klone um uns herum wurde immer enger.

»Geht weg!«, flehte Nan sie an. »Lasst uns in Ruhe!«

Zwei der Klone griffen nach mir, aber ich hechtete zur Seite und stürzte auf einen der Labortische zu. Dort griff ich mir ein Becherglas mit einer klaren Flüssigkeit.

Die Klone umstellten Nan und blockierten die Tür.

»Weg da«, warnte ich sie. »Weg von der Tür. Sonst schütte ich euch das hier ins Gesicht.«

Die Klone lachten. »Nur zu, mach doch!«, rief einer von ihnen. »Das ist bloß Leitungswasser.«

Wasser! In einem Laborgefäß?

Vielleicht wollte er mich nur täuschen.

Verzweifelt schleuderte ich das Becherglas auf die Klone zu. »Nan – pass auf!«, rief ich.

Die Klone duckten sich. Nan auch. Das Glas landete an der Tür und zerbrach.

»Hör auf!«, rief Onkel Leo streng. »Du zerstörst mir ja meine teure Einrichtung!«

Einer der Klone packte Nan an den Armen. Sie wehrte sich heftig. »Lass mich los! Lass los!«

Ich lief auf sie zu. »Lass sie in Ruhe!«

Da marschierte ein anderer Klon auf mich zu und hielt mich ebenfalls an den Armen fest. »Du kannst nicht gewinnen. Den Versuch, gegen uns anzukämpfen, kannst du dir also sparen«, höhnte er.

»Nein!«, keuchte ich und entwand ihm einen Arm. »Ha!« Ich hackte ihm mit einem Karateschlag aufs Handgelenk und bekam so auch den anderen Arm frei. Dann duckte ich mich und suchte unter einem Edelstahltisch Schutz.

Das heißt, ich *wollte* darunter Schutz suchen. Aber ich duckte mich nicht tief genug.

RUMS! knallte ich mit dem Kopf gegen die abgerundete Metallkante.

Ich fiel nach hinten um. »Ohhhh!«, stöhnte ich.

»Monty!«, rief Nan.

Aus und vorbei. Zwei Klone zerrten mich vom Boden hoch und schleppten Nan und mich zum kleinen Lagerraum hinüber.

Sie öffneten die Tür und schoben uns hinein. Ich hörte, wie ein Schlüssel im Schloss gedreht wurde.

Ich starrte in die Dunkelheit. Ein schwacher Lichtschein drang durch ein hohes Fenster herein. Verzweifelt hämmerte ich mit den Fäusten gegen die Holztür. »Lasst uns raus!«, brüllte ich.

»Monty«, raunte Nan mir zu. »Hier rüber. Schnell!«

Ich drehte mich um. Nan kauerte neben etwas in der Ecke. Im trüben Licht sah es aus wie ein Stapel alter Stofffetzen.

Dann bewegte sich der Stapel. Und stöhnte. Setzte sich auf.

Das Licht fiel auf ein blasses Gesicht.

Ich schrie entsetzt auf.

»Onkel Leo!«

21

»Dad!«, rief Nan. Sie streckte die Hand nach Onkel Leo aus.

Dann zog sie sie blitzartig wieder zurück.

»Dad, bist du das wirklich?«, flüsterte sie ängstlich.

»Ja, ich bin's wirklich«, antwortete Onkel Leo schwach. Er schaute erst Nan an, dann mich. »Haben sie euch also gekriegt? Das hatte ich schon befürchtet. Es tut mit so Leid, Kinder.«

Nan musterte ihn argwöhnisch. »Wenn du du bist – wer ist dann der Kerl da draußen?«

Onkel Leo strich sich müde mit der Hand übers Gesicht. »Er ist ein Klon. Sie alle sind Klone«, erklärte er. »Menschliche Klone, entwickelt in meinem Labor.«

Ich bekam eine richtige Gänsehaut. Ich hatte das zwar schon vermutet, aber es aus Onkel Leos Mund zu hören, machte es irgendwie schlimmer.

»Warum?«, rief ich. »Warum hast du mich geklont?«

Onkel Leo schüttelte den Kopf. »Das habe ich gar nicht«, erwiderte er. »Ich würde niemals einen anderen Menschen klonen! Bitte glaub mir, Montgomery.«

»Aber wie …?« Nan starrte Onkel Leo ungläubig an. »Das verstehe ich nicht, Dad.«

»Ich würde nie an einem *anderen* Menschen herumexperimentieren. Nur an mir selbst«, erklärte Onkel

Leo. »Vor ein paar Monaten ist es mir gelungen, mich selbst zu klonen. Das war ein unglaublicher Durchbruch.«

»Vor ein paar Monaten?«, fragte Nan fassungslos. »Du meinst, in den letzten Monaten sind gleich zwei von euch hier rumgelaufen?«

»Nein, nicht herumgelaufen«, verbesserte Onkel Leo sie. »Ich habe meinem Klon erklärt, dass er sich unbedingt in meinem Labor versteckt halten muss – bis die Zeit reif wäre, ihn der Welt zu präsentieren. Ich dachte, er versteht das und ist einverstanden.«

Er seufzte tief. »Aber ich habe nicht gemerkt, dass mein Klon wahnsinnig ist – wahnsinnig und böse.«

»Böse?«, fragte ich. In mir zog sich alles zusammen.

»Ich weiß nicht, wie ich es sonst nennen soll«, fuhr Onkel Leo fort. »*Er* ist derjenige, der dich geklont hat, Montgomery. Ich glaube, er hat dir die DNA-Proben im vergangenen Sommer entnommen, als du und deine Mutter zu Besuch hier wart. Er hat sich mitten in der Nacht aus dem Labor in dein Zimmer geschlichen. Ich hab ihn auf dem Flur ertappt, aber er hat behauptet, er wollte bloß ein bisschen herumspazieren, weil er nicht schlafen könne.«

Ich erschrak. Plötzlich fiel mir der schreckliche Albtraum in jener Nacht wieder ein. Da hatte ich geträumt, dass mir ein Mann mit einem Skalpell übers Gesicht fuhr.

Dabei war es überhaupt kein Albtraum gewesen! Wenn das stimmte, was Onkel Leo sagte, dann war es wirklich passiert!

»Als du Monty mit dieser Anstecknadel gestochen hast, hast du ihm da gar keine DNA-Proben entnommen, Dad?«, wollte Nan wissen.

»Natürlich nicht!«, antwortete Onkel Leo entrüstet. »Lieber Himmel, das war doch keine Absicht.«

»Siehst du, wie ich dir gesagt habe«, wandte sie sich an an mich.

»Schon…«, murmelte ich. Ich hatte aber allen Grund gehabt, misstrauisch zu sein. Denn schließlich war ich ja nicht so weit von der Wahrheit entfernt gewesen!

Onkel Leo legte mir eine Hand auf die Schulter. »Es tut mir Leid. Ich hätte ja meinem Klon Einhalt geboten – wenn ich Bescheid gewusst hätte. Aber es ist mir nicht in den Sinn gekommen, dass er mich anlügen könnte. Warum sollte er? Das wäre ja, als wenn ich mich selbst anlügen würde.« Er seufzte wieder. »Zumindest dachte ich das am Anfang. Aber je mehr Tests ich an meinem Klon durchführte, desto stutziger wurde ich. Mir kam der Verdacht, dass etwas mit seinem Verstand nicht stimme. Dass er irgendwie verdreht sei.«

Ich sprang ungeduldig auf und tigerte hin und her. Wann kam er endlich zur Sache?

»Und was ist mit meinen Klonen?«, fragte ich.

»Leo Zwei hat sie heimlich nacheinander gemacht«,

sagte Onkel Leo. »Er hat nachts gearbeitet, während ich schlief. Und anschließend hat er die Montgomery-Klone in den Gästezimmern versteckt, damit ich sie nicht finde.«

»Das darf doch nicht wahr sein!«, rief Nan aus. »Heißt das, ich hab die ganze Zeit neben Klonen von Monty geschlafen?«

Mir lief es kalt den Rücken runter. Eine schaurige Vorstellung. Während Nan und Onkel Leo und ich lebten wie gewohnt, beobachteten uns diese Kopien... und spionierten uns nach...

»Das mit Montgomerys Klonen habe ich erst vor zwei Tagen herausgefunden«, berichtete Onkel Leo. Er wandte sich an mich. »Als du mir von dem Jungen erzählt hast, der genauso aussieht wie du, horchte ich auf. Sollte Leo Zwei meine Arbeit hinter meinem Rücken fortgesetzt haben? Ich ging an diesem Abend ins Labor, um ihn zur Rede zu stellen. Zu meinem Entsetzen fand ich dann gleich mehrere Montgomery-Klone bei ihm. Als ich damit drohte, sie aufzuhalten, haben sie mich überwältigt und hier in diesen Raum eingeschlossen.«

Er schüttelte den Kopf. »Der einzige Grund, warum ich noch am Leben bin, ist, dass sie mich brauchen. Sie sind auf meine wissenschaftlichen Kenntnisse angewiesen.«

Onkel Leo verstummte. Einen Moment saßen wir alle

schweigend in der dunklen Kammer. Ich wusste nicht, was ich sagen sollte.

»Dad, gibt es eine Möglichkeit, diese Klone von echten Menschen zu unterscheiden?«, erkundigte sich Nan schließlich. »Ich meine, woher soll ich wissen, ob du in Wirklichkeit nicht ein Klon bist? Du oder Monty?«

»He!«, protestierte ich. »Ich bin kein Klon. Ich bin ich!«

»So, und woher weiß ich das?«, fragte Nan trotzig.

Onkel Leo lehnte den Kopf an die Wand. »Gute Frage«, seufzte er. »Natürlich musste ich mir überlegen, wie ich einen Klon von seinem Original unterscheiden kann. Also sorgte ich dafür, dass jeder Klon einen kleinen Schönheitsfehler bekam.«

Er hielt seine rechte Hand hoch. »Jeder der Klone hat einen kleinen blauen Punkt hier an der Spitze des rechten Daumens«, erklärte er. »Er sieht aus wie ein Tattoo, ist es aber nicht. Er ist eher wie ein Geburtsmal und lässt sich nicht entfernen.«

Onkel Leo schüttelte den Kopf. »Es gibt noch einen anderen Unterschied zwischen Klonen und ihren Originalen«, fügte er hinzu. »Ich weiß nicht, warum, aber alle Klone sind böse. Es macht ihnen Spaß, anderen Leuten zu schaden.«

»Aber was bezwecken sie damit? Warum hat Leo Zwei so viele Klone von mir gemacht?«, fragte ich. »Was haben sie vor?«

»Leo Zwei benutzt deine Klone als seine Sklaven«, sagte Onkel Leo. »Je mehr er davon hat, desto besser. Ohne sie hätte er mich nie überwältigen können. Aber ich weiß nicht, was sie vorhaben«, gab er zu. »Was immer es auch ist, es ist bestimmt etwas Schlimmes.«

Er stand auf und reckte seine steifen Glieder. »Kinder, wir müssen einen Weg finden, wie wir hier rauskommen. Wir müssen sie irgendwie stoppen!«

KLICK! Hinter mir wurde der Schlüssel im Schloss gedreht.

Erschrocken fuhr ich herum und sah, wie die Tür aufsprang. Ich blinzelte ins grelle Licht.

Zwei Klone von mir standen auf der Schwelle.

»Komm her, Monty. Wir brauchen dich«, befahl einer von ihnen. Er packte mich am Arm.

»Nein!«, schrie ich und verdrehte meinen Arm, um mich zu befreien. Aber er hielt mich so fest, dass es nicht ging. Der Klon schien sich dabei nicht mal anzustrengen.

Er sah zwar so aus wie ich, aber er war viel stärker!

Obwohl ich mich heftig wehrte, zerrte er mich aus der Kammer. Jeder Widerstand war zwecklos.

»Was willst du?«, schrie ich ihn an. Meine Stimme zitterte. »Was hast du mit mir vor?«

22

»Lass mich los!«, rief ich. »Was machst du?«

Der Klon packte mich noch fester. »Das wirst du schon noch merken«, versprach er.

»Neiiin!« Ich warf mich nach hinten, zappelte wie blöd und trat dem Klon gegen das Schienbein. Dann verdrehte ich meinen Kopf und versuchte, ihm in die Hand zu beißen.

»Netter Versuch«, knurrte er. »Monty, hilf mir, ihn fest zu halten.«

Sofort traten die anderen drei Klone heran.

O nein! Sie hörten *alle* auf meinen Namen!

Die vier zogen mich zu einem Edelstahltisch hinüber, der mit weißem Papier bedeckt war – so eines, wie es die Ärzte zum Schutz ihrer Untersuchungstische benutzten. Lederriemen hingen an den vier Ecken herab.

Sie wollen mich festschnallen!, schoss es mir durch den Kopf. Mich festschnallen, damit ich mich nicht wehren kann – während sie was ganz Schreckliches mit mir anstellen!

»Hört auf! Bitte!«, bettelte ich. Aber sie hoben mich trotzdem auf den Tisch.

Der Onkel-Leo-Klon trat vor und starrte auf mich herab, während ich hilflos dalag. Er hielt etwas in die Luft, das aussah wie ein Kugelschreiber. Doch an der Spitze bemerkte ich eine lange glänzende Nadel.

Drei der Monty-Klone traten zurück, während der vierte eine Hand nahm und sie ausgestreckt fest hielt.

Dann betätigte der Onkel-Leo-Klon einen winzigen Schalter an der Seite des Kugelschreibers. Er fing an zu summen. Die Silbernadel vibrierte.

Er senkte sie auf meine rechte Hand herab.

»Nein!«, kreischte ich. »Neiiin!«

Entsetzt sah ich, wie die Nadel meine Daumenspitze berührte. Gleichzeitig schoss mir ein stechender Schmerz durch die Hand.

Der Onkel-Leo-Klon legte die summende Nadel wieder weg.

Ich hob den Kopf und starrte auf meine Hand herab.

Ein kleiner blauer Punkt war in meinen rechten Daumen eintätowiert.

Mein Kopf fiel wieder zurück auf den Tisch, weil mich ein Monty-Klon gewaltsam niederdrückte. Ich schaute ihm ins Gesicht.

»So«, sagte er leise. »Jetzt bist du genau wie wir, Monty.«

23

Ich schloss schaudernd die Augen.

Mit dem blauen Punkt auf dem Daumen konnte ich niemandem beweisen, dass ich kein Klon war.

Wie soll ich bloß einen Ausweg aus dieser Situation finden?, überlegte ich verzweifelt.

»Schnallt ihn ab«, ordnete der Onkel-Leo-Klon an. »Jetzt kann er sich ruhig aufsetzen. Er wird sich nicht mehr wehren.«

Die Monty-Klone machten sich daran, die Lederiemen zu lösen, die meine Ame und Beine an den Tisch banden.

Aus dem Augenwinkel sah ich, wie sich die Tür zum Lagerraum einen winzigen Spalt öffnete. Die Klone mussten vergessen haben, sie wieder abzusperren.

Nan spähte um die Ecke. Sie blickte mich an.

Und ich wusste, was ich zu tun hatte. Ich musste die Klone ablenken, damit sie Nan nicht entdeckten.

Kaum waren meine Beine frei, trat ich auf zwei der Klone ein. Dabei brüllte und kreischte ich wie blöd und warf mich auf dem Tisch hin und her.

»Haltet ihn fest!«, befahl der Leo-Klon streng.

»Du hast doch gesagt, er würde sich nicht mehr wehren!«, rief einer der Monty-Klone.

Er versuchte, mich an den Schultern zu packen, aber ich schnappte nach seiner Hand.

Auf der anderen Seite des Raumes entdeckte ich Nan. Sie kroch auf die Tür zu, die aus dem Labor führte. Sie war fast da!

Ich wehrte mich noch heftiger. »Lasst mich los!«

»Der ist einfach zu dumm zu begreifen, dass er nicht entkommen kann. Diese Originale sind alle total dumm!«, fauchte der Leo-Klon.

»Ich bin nicht dumm!«, rief ich. »Du bist dumm. Du bist ein dummer Klon, sonst nichts!«

»Pass auf, was du sagst, Monty«, drohte einer der Monty-Klone. »Du weißt nicht, wovon du sprichst.«

Darauf erwiderte ich nichts. Ich wandte mich zu der Labortür um. Nan hatte sie geöffnet und schlüpfte gerade hinaus.

Einer der Monty-Klone wirbelte herum.

Zu spät! Er konnte gerade noch Nans roten Zopf erkennen, als sie hinauslief.

»Das Mädchen!«, schrie der Klon zornig. »Es ist abgehauen!«

»Lauf, Nan!«, brüllte ich, so laut ich konnte. »Lauf!«

Drei der Klone rannten hinter Nan her.

Der Vierte starrte auf mich herab. »Das war dumm von dir, Monty«, sagte er. »Die entwischt uns nicht. Wir kriegen sie. Ihr beide wollt doch wohl nicht, dass Onkel Leo sauer wird. Onkel Leo kann ganz schön *gemein* werden, wenn er sauer ist.«

Meine Haut prickelte. Aber ich versuchte, meine Angst zu verbergen.

»Und *ob* sie euch entwischt«, entgegnete ich. »Und dann ist es aus mit euch Klonen.«

»Mit uns?«, höhnte mein Klon. »Und was ist mit dir? Vergiss nicht, du bist jetzt einer von uns, *Monty*.«

»Nein!«, schrie ich. »Ohne mich!«

Doch ich fühlte mich total hilflos.

Wie sollte ich hier bloß wieder rauskommen?

Die Minuten verstrichen und die Klone kehrten nicht mit Nan zurück. Meine Hoffnung wuchs.

War sie ihnen entwischt? Holte sie Hilfe?

Aber ich konnte nichts tun als abzuwarten.

Nach ungefähr einer halben Stunde klopfte es an der Labortür.

»Wer ist da?«, bellte der Leo-Klon.

»Monty«, rief eine Stimme durch die Tür, die der Leo-Klon inzwischen abgesperrt hatte. Mich schauderte. Daran würde ich mich nie gewöhnen können!

Der vierte Monty-Klon lief zur Tür und machte sie auf. Die anderen drei Klone kamen herein.

Ohne Nan.

»Wo ist das Mädchen?«, fragte der Leo-Klon streng.

»Weg«, gab einer meiner Klone zu.

»Wir konnten sie nirgends finden«, sagte ein anderer. »Sie ist weg.«

»Jawohl!«, jubelte ich.

Der Leo-Klon machte ein finsteres Gesicht. »Zu dumm«, murmelte er und nagte an seinem Daumen. »Wirklich, zu dumm.«

»Das macht doch nichts. Was kann sie uns schon anhaben? Sie ist doch bloß so ein dummes Original«, spottete einer meiner Klone.

»Sowieso, wer sollte ihr die Geschichte schon glauben?«, meinte ein anderer.

Mich fröstelte. Die Klone hatten Recht. Wie sollte Nan einen Erwachsenen jemals davon überzeugen können, dass sie die Wahrheit sagte?

Der Leo-Klon reckte sich und gähnte. »Ich hab die ganze Nacht gearbeitet – und den ganzen Tag auf euch Bengel aufgepasst. Ich gehe mal ein Nickerchen machen.«

Er steuerte auf eine schmale Liege in der Ecke des Labors zu, legte sich hin und schloss die Augen. In wenigen Sekunden schnarchte er leise.

Ich musste niesen.

Als wären sie eine einzige Person, drehten sich alle meine Klone gleichzeitig zu mir um und starrten mich an.

Dann kamen sie langsam auf mich zu.

Mir blieb die Luft weg.

Was dachten die denn? Was wollten sie?

Ich sprang vom Labortisch und wich vor den Klonen zurück, bis ich an der Wand stand und nicht weiterkonnte.

Die Klone rückten näher.

»Was ist los?«, fragte einer von ihnen. »Du bist doch nicht etwa scheu, oder, Monty?«

»Oder, Monty?«, höhnte ein anderer.

Ich hasste es, wenn sie dauernd meinen Namen wiederholten! Das war mir so unheimlich!

»Lasst mich bloß in Ruhe!«, schrie ich mit schriller Stimme. »Lasst mich bloß in Ruhe!«

Sie lachten. Es war *mein* Lachen.

»Du wirst dich mit der Zeit schon dran gewöhnen, Teil unserer Gruppe zu sein«, sagte ein anderer Klon.

»Werd ich nicht!«, rief ich aus. Mein Herz klopfte laut. »Ich bin ich!«

»Nein, *ich* bin du«, verbesserte mich einer von ihnen.

»Nein, *ich* bin du«, behauptete ein anderer.

»Nein, *ich* bin du!«

»*Ich* bin du!«

Ich starrte von einem identischen Gesicht ins andere. Mir summten die Ohren. Das ist doch Wahnsinn, dachte ich. Der schiere Wahnsinn!

Dann hob einer der Klone die Hand.

»So, Zeit für die Aufnahmeprüfung«, verkündete er.

24

»Aufnahmeprüfung?«, rief ich mit matter Stimme.

»Nur ein kleiner Test«, erklärte einer der Klone.

Sie packten mich und zerrten mich zu dem Tisch, auf dem Onkel Leos Elektrogeräte aufgetürmt lagen.

»Nein!«, schrie ich. »Stopp! Lasst mich los!«

Ungerührt holte einer von ihnen eine Schachtel Streichhölzer aus einer Schublade. Er nahm ein Streichholz heraus und zündete einen Bunsenbrenner an. Eine blaue Flamme stieg vor meinen Augen auf.

»Fertig, Monty?«, fragte er.

»Fertig, Monty?«, wiederholten die drei anderen Klone im Chor.

»Nein!«, brüllte ich. »Bitte nicht!«

Doch zwei von ihnen hielten mich fest, sodass ich mich nicht wehren konnte. Ein Dritter nahm meine Hand – und zog sie in die blaue Flamme!

»Auuu!«, schrie ich.

Die Flamme versengte meine Handfläche.

Ich riss meine Hand zurück. Sie war feuerrot.

»Was habt ihr vor – wollt ihr mich umbringen?«, rief ich. »Was wollt ihr von mir?«

»Pass auf«, sagte einer der Klone und hielt seine Hand vor mein Gesicht. Dann tauchte er sie grinsend in die Flamme.

Und ließ sie dort.

»Was machst du?«, rief ich entsetzt. »Spinnst du?«

Der Klon zog seine Hand zurück. »Siehst du?«, meinte er. »Die Flamme verbrennt mich nicht.«

»Mich auch nicht«, mischte sich einer der anderen Klone ein. Und hielt *seine* Hand ebenfalls ins Feuer.

»Mich auch nicht«, rief der Dritte.

»Mich auch nicht«, schloss sich der Vierte an.

»Verstehst du denn nicht? Wir spüren keinen Schmerz. Wir sind *besser* als du, Monty«, sagte der erste Klon. »Klüger. Und stärker. Wir sind eine Verbesserung von dir!«

Ich schrie entsetzt auf.

Ich musste unbedingt weg von diesen Furcht erregenden Klonen!

Verzweifelt riss ich mich los und stürzte auf die Labortür zu. Ich warf mich dagegen und rüttelte an dem Riegel.

Aber die Klone packten mich und zerrten mich zurück. »Nichts da«, schimpfte einer von ihnen. »Du bleibst schön bei uns!«

»Dann sperrt mich doch ein!«, rief ich. »Sperrt mich zu Onkel Leo, wenn ich euer Gefangener bin!«

»Du verstehst immer noch nicht, stimmt's?« Der Klon verschränkte die Arme. »Du gehörst jetzt zu unserer Gruppe, Monty. Und ich will, dass du *mich* Monty nennst. Denn ich bin du. Ich übernehme dein

Leben. Und weißt du, welchen Namen ich *dir* geben werde?«

Sprachlos konnte ich nur den Kopf schütteln. Der Klon beugte sich zu mir vor. »Gar keinen«, flüsterte er. »Du bist nur ein Klon.«

Nur ein Klon. Die Worte hallten in meinem Kopf wider.

Nur ein Klon.

»Schläfst du schon?«, wisperte einer der Klone in der Dunkelheit.

Ich war wach. Aber ich lag trotzdem ganz still auf meiner Liege und antwortete nicht.

Erstens meinte er wahrscheinlich sowieso gar nicht mich.

Und zweitens würden *sie* vielleicht einschlafen – und ich könnte abhauen. Im Labor gab es keine Fenster. Aber ich war mir ziemlich sicher, dass es draußen dunkel war. Nan war jetzt schon seit Stunden weg.

Wo steckt sie bloß?, fragte ich mich. Wahrscheinlich findet sie niemanden, der ihr hilft. Oder der ihr glaubt.

Ich wusste, dass sie immer noch auf Hilfesuche war. Aber wenn sie keinen Erfolg hatte, was dann?

Ich muss selbst hier rauskommen, sagte ich mir. Um Nan zu helfen. Und um Onkel Leo zu retten.

Ich spitzte die Ohren. Waren sie noch wach?

Aber ich konnte bloß gleichmäßiges Atmen hören.

Sie schlafen, dachte ich. Bestimmt schlafen sie.

Jetzt oder nie, Monty!

So geräuschlos wie möglich setzte ich mich auf und schwang die Beine über die Bettkante. Dann stemmte ich mich mit den Händen hoch.

Au! Ich biss mir auf die Unterlippe, um nicht vor Schmerz aufzuschreien. Meine verbrannte Hand pochte.

Einen Augenblick stand ich atemlos da und wartete, bis der Schmerz nachließ.

Ich durfte keine Zeit verlieren. Schnell schlich ich auf Zehenspitzen zur Labortür, griff nach dem Riegel und schob ihn vorsichtig zurück.

Mein Herz klopfte. Ob sie aufwachen würden?

Der schwere Riegel bewegte sich langsam in meiner Hand.

Ja!, hätte ich am liebsten gejubelt.

Ich war so gut wie draußen!

So gut wie frei!

Eine Sekunde noch. Eine Sekunde noch und ich bin raus!

Da gingen die Lampen flackernd an und ich erstarrte vor Schreck.

Langsam drehte ich mich um.

25

Die vier Klone umringten mich.

Hinter ihnen erhob sich der Leo-Klon und schaute mich durchdringend an.

»Wohin so eilig?«, fragte er.

»Ich … ich …«, stotterte ich.

»Wir haben alle einen sehr leichten Schlaf«, erklärte einer der Klone. »Wie ich dir schon sagte, Monty, wir sind *besser* als du. Du meinst wohl, du kannst …«

BUMM! BUMM! BUMM!, dröhnte es da.

Die Labortür! Ich sprang zur Seite.

Die Tür flog auf und Nan platzte herein – gefolgt von drei Männern.

Sie waren alle etwa in Onkel Leos Alter und trugen zerknitterte Anzüge. Zwei waren untersetzt und kahlköpfig. Der Dritte war zwar groß und breitschultrig, aber seine Brillengläser waren noch dicker als die von Onkel Leo.

»*Das* soll die Hilfe sein, die du holen wolltest?«, stieß ich hervor.

Doch keiner achtete auf mich. Den Männern fielen fast die Augen aus dem Kopf, als sie die Klone sahen.

Der große Mann wandte sich an den Leo-Klon.

»Leo!«, rief er. »Was geht hier vor?«

»Wer sind Sie?« fragte der Leo-Klon ärgerlich. »Wer gibt Ihnen das Recht, in mein Labor einzudringen?«

»Das ist nicht mein Vater!«, rief Nan aus. »Er erkennt ja nicht mal seine alten Studienkollegen. Er ist der Klon! Packt ihn!«

Die drei Männer blickten sich an.

Dann traten die beiden Untersetzten vor und packten den Leo-Klon an den Armen!

»Juhu!«, jubelte ich.

»Los, wir schaffen ihn in den Wagen«, sagte der große Mann. Sie schleiften den Leo-Klon aus dem Labor.

Das Gesicht des Leo-Klons war krebsrot. »So eine Unverschämtheit!«, schrie er. »Was fällt Ihnen ein!«

Ich warf einen Blick auf meine Klone. Ich rechnete damit, dass sie dem Leo-Klon helfen würden.

Aber sie unternahmen nichts. Sie standen bloß da und schauten schweigend zu.

Wieso tun die nichts?, fragte ich mich besorgt.

Was haben die vor?

Nan rannte auf die andere Seite des Labors und schloss den Lagerraum auf. »Dad!«, rief sie.

Onkel Leo kam herausgestolpert und blinzelte ins Licht.

»Nan!« sagte er freudig und umarmte sie. »Alles in Ordnung?«

»Ja«, antwortete Nan. »Ich hab deine alten Freunde von der Uni mitgebracht, Dad.«

»Bin ich froh, dass ihr da seid!«, rief Onkel Leo aus. »Ich hab euch letzte Woche geschrieben, weil ich Angst hatte, meine Experimente würden außer Kontrolle geraten.«

»Ich hab versucht, Hilfe zu holen, aber mir hat niemand glauben wollen!«, erklärte Nan. »Nicht mal die Polizei! Deswegen habe ich mich in der Garage versteckt und auf deine Freunde gewartet.«

»Aber was sollen diese Männer denn jetzt tun?«, erkundigte ich mich.

»Sie werden sich mit den Klonen befassen«, erwiderte Nan. »Sie bauen in Südamerika ein spezielles Labor auf. Bald werden die Klone weit weg sein.«

»Ich kann es kaum erwarten«, sagte ich. »Nan, bin ich froh, dass du wieder da bist! Ich hatte schon befürchtet, es wäre dir was passiert.«

Ich war so erleichtert, dass ich sie umarmen wollte.

Sie zuckte zurück. »Rühr mich nicht an!«

Ich starrte sie entgeistert an. »Aber...«

»Woher soll ich wissen, wer du bist!«, rief Nan aus. »Du kannst genauso gut einer von *denen* sein.«

»Nan!« Ich konnte es nicht fassen. »Erkennst du mich denn nicht? Siehst du den Unterschied nicht?«

»Hör nicht auf ihn!«, rief einer meiner Klone. »Er will dich reinlegen. *Ich* bin der richtige Monty!«

»Die lügen alle beide!«, erklärte ein anderer. »*Ich* bin Monty!«

111

Nan kniff die Augen zusammen. »Zeigt mir eure rechten Daumen.«

Die Tätowierung! Sie würde die Tätowierung sehen!

Ich bekam es mit der Angst zu tun. Langsam streckte ich die rechte Hand aus.

Meine Klone taten das Gleiche.

»Du verstehst nicht«, sagte ich verzweifelt. »Sie haben mich tätowiert. Jetzt sehen wir alle gleich aus.«

Nan riss die Augen auf, als sie alle unsere Daumen sah.

Onkel Leo runzelte die Stirn. »Das ist ein Problem.«

Die drei Männer kehrten ins Labor zurück. »Leo!«, rief der Große aus. »Bist das wirklich du?«

»Fred?« Onkel Leo ging auf den Mann zu und schüttelte ihm die Hand. »Gott sei Dank seid ihr drei rechtzeitig gekommen.«

»Ja, gerade noch«, bestätigte einer der beiden untersetzten, glatzköpfigen Männer. Dann zeigte er auf mich und die Klone. »Welcher ist denn dein Neffe?«

»Das ist ja das Problem«, murmelte Onkel Leo. »Wir sind uns nicht sicher.«

»Das ist überhaupt kein Problem«, verkündete einer meiner Klone.

Ich starrte ihn an. »Wie meinst du das? Das ist ein großes Problem!«

»Nein, ist es nicht«, behauptete der Klon. »Ich kann beweisen, dass ich der richtige Monty bin!«

»Und wie?« fragten Onkel Leos Freunde.

»Ich weiß Dinge, die ein Klon unmöglich wissen kann«, gab der Klon bekannt.

Er wandte sich an Nan. »Erinnerst du dich, was ich dir neulich nachts erzählt habe? Was passiert ist, als wir sieben waren? Wie wir beide einen Wagen von Evan Seymours Eisenbahn geklaut haben? Ich hab die Lokomotive und du hast den Bremswagen.«

»Und wir haben es niemandem erzählt«, sagte Nan nachdenklich.

Ich erschrak. In der Nacht, als Nan und ich uns darüber unterhalten hatten, musste der Klon uns die ganze Zeit belauscht haben!

»He!«, brüllte ich. »Das ist *meine* Geschichte! Ich bin derjenige, der dir die Geschichte erzählt hat, Nan! Nicht er! Glaub ihm nicht!«

»Nein! Ich bin es!«

»Nein, ich!«

Ich hielt mir die Ohren zu, ich konnte es nicht mehr hören. »Ich war es!«, rief ich. »Ich hab dir die Geschichte erzählt! Ich! *Ich* bin Monty!«

Nan trat vor.

»Ich glaube dir«, sagte sie leise. »Du bist wirklich Monty.«

Und sie streckte die Hand aus und reichte sie – dem Klon.

26

»Neiiin!«, schrie ich auf. »Nein! Nan! Das kannst du doch nicht machen!«

»Nan!«, riefen die anderen drei Klone. »Kennst du mich denn nicht?«

Nan schüttelte den Kopf. »Lass uns endlich gehen«, sagte sie zu Onkel Leo.

»Er nickte. »Geht ihr schon mal vor, du und Montgomery. Wir bringen die Klone hinaus in den Wagen. Je eher wir sie aus dem Haus haben, desto besser.«

Nan und der Klon eilten aus dem Labor. Dann schnappte sich jeder der vier Männer einen von uns und stießen uns durchs Haus. Hinaus zu einem weißen Möbelwagen, der in der Einfahrt stand. Sie machten die Hecktür auf und schoben uns hinein. Die Klone wehrten sich und schrien – nur ich nicht. Ich war wie benommen vor Entsetzen.

Meine eigene Zwillingsschwester erkannte mich nicht! Sie dachte, ich wäre ein Klon!

Was sollte ich denn jetzt machen?

Wie sollte ich da bloß wieder rauskommen?

Im Inneren des Möbelwagens war links und rechts je eine Reihe Plastikstühle am Boden festgeschraubt.

Der Leo-Klon drängte sich auf einen der Stühle in der Ecke und murmelte vor sich hin.

Draußen hörte ich die Stimmen von Onkel Leo und seinen Freunden. Sie überlegten wohl, wie sie weiter vorgehen sollten. Ich schnappte ein paar Gesprächsfetzen auf: »Das Schiff legt morgen früh ab« und »zum Lagerhaus am Fluss«.

Fred, der große Mann, streckte den Kopf herein. »Schnallt euch an«, forderte er uns auf. »Wir fahren gleich los.«

Dann knallte er die Hecktür zu. Wir waren eingesperrt.

Ich suchte mir einen Sitz aus und gurtete mich an. Die Klone machten dasselbe.

Dann fuhr der Wagen los. Wir versanken in Schweigen.

Denk nach. Denk nach. Denk nach!, sagte ich zu mir. Ich musste da irgendwie rauskommen – bevor ich noch in einem Labor in Südamerika landete.

Fünfzehn Minuten später hielt der Wagen an. Draußen hörte ich das Heulen großer Maschinen und das Hupen von Lastwagen. Wo sind wir bloß?, fragte ich mich.

»Hört sich an wie ein Verladeplatz«, bemerkte einer meiner Klone.

»Wir sind am Fluss«, meinte ein anderer.

»Sie verladen uns morgen früh auf das Schiff nach Südamerika«, sagte ein dritter.

Das kleine Fenster zwischen Laderaum und Fahrerkabine wurde aufgeschoben. Fred spähte zu uns herein.

»So, wir bleiben eine Weile hier«, informierte er uns. »Macht es euch bequem. Und für den Fall, dass ihr versucht zu fliehen, draußen vor dem Wagen hält jemand Wache.«

Ein Wächter! Ich sackte verzweifelt in meinem Sitz zusammen.

Ich wusste, dass das meine letzte Chance war abzuhauen. Wenn ich mich erst mal auf dem Schiff nach Südamerika befand, war es aus mit mir. Dann konnte ich nie wieder zurück.

Ich würde den Rest meines Lebens als Versuchskaninchen in einem Labor zubringen müssen!

Aber wie konnte ich ihnen entwischen?

Ich blickte mich im Inneren des Wagens um. Das Fenster zur Fahrerkabine war zu klein, um sich hindurchzuschlängeln. Und die Türen sahen so stabil aus, dass man die sicher auch nicht aufbrechen konnte. Außerdem stand draußen die Wache.

Ich sah nach oben. Und da entdeckte ich eine Luke im Dach. Ein Schiebefenster, das einen Spalt offen stand. Ob das meine Rettung war?

Das Dach war weit über mir. Wie konnte ich da an die Luke herankommen?

Vielleicht konnte ich ein paar von den Plastiksesseln aufeinander stapeln und draufsteigen?

Nein. Die waren ja am Boden festgeschraubt.

Ich schluckte. Mir blieb nur eine Möglichkeit.

Ich musste meine Klone um Hilfe bitten.

»He«, fing ich an. Meine Stimme quiekte.

Ich räusperte mich und versuchte es noch einmal »He. Wir können hier rauskommen, wenn wir einander helfen. Wie wär das... äh, Monty? Hilfst du mir?«

Meine Klone starrten mich an.

»Warum sollte ich dir helfen?«, fragte einer von ihnen. »*Ich* bin Monty. Du bist derjenige, der *mir* helfen sollte.«

»Nein, *ich* bin Monty«, widersprach der Zweite.

»Nein, *ich*!«, rief der Dritte. »Ihr alle solltet *mir* helfen!«

Der Leo-Klon blickte uns finster aus einer Ecke an. »Ruhe da!«, fauchte er. »Ich kann das nicht mehr hören. Ihr *alle* seid Monty.«

Da kam mir eine Idee. Eine wirklich schlaue Idee.

»Hört zu!«, übertönte ich den Lärm. »Onkel Leo hat Recht. Wir sind alle gleich!«

Die Klone hörten auf zu schreien und sahen mich verwundert an.

»Lasst uns der Tatsache ins Auge sehen: Wir alle sind Klone und wissen das auch«, fuhr ich fort. »Warum versuchen wir dann dauernd, einander an der Nase herumzuführen? Dieses dumme Original ist da draußen und lebt *unser* Leben, während wir mit dem Schiff zu irgendeinem Labor transportiert werden. Ist das richtig? Ist das gerecht?«

»Nein!«, riefen die Klone.

»Er ist bloß ein Original!«, fügte einer von ihnen hinzu. »Wir sind besser als er!«

»Genau!«, bestätigte ich. »Also sage ich, lasst uns zusammenarbeiten. Lasst uns aus diesem Wagen abhauen, ins Haus zurückfahren und uns seiner entledigen. Der ist sowieso an allem schuld.«

»Jawohl!«

»Auf geht's!«

Ja! Ich musste mir ein Grinsen verkneifen. Ich glaube, wir Originale sind gar nicht so dumm, dachte ich.

»Okay, hört zu, wie wir das machen«, setzte ich an. Ich griff mir einen der Klone und zerrte ihn in die Mitte des Wagens unter die Luke. »Hier bleib stehen, Monty.«

Dann zeigte ich auf einen zweiten Klon. »Du kletterst auf Montys Schultern. Anschließend hilft mir dieser andere Monty hier auf *deine* Schultern. Ich klettere dann aus der Luke und sehe mich nach einem Seil um, das ich euch herablassen kann. Alles klar?«

»Alles klar, Monty«, antworteten die Klone.

Natürlich dachte ich gar nicht daran, ihnen wirklich ein Seil herabzulassen. Wenn ich erst mal draußen war, dann hieß es: »Tschüss, ihr Deppen!«. Ich hatte sogar vor, die Luke von außen zu verriegeln, sobald ich in Freiheit war. Damit sie auch wirklich nicht entkommen konnten.

Zwei der Klone stellten sich also aufeinander, als eine Art lebende Leiter. Der dritte hob mich auf die Schultern des zweiten hinauf. Währenddessen saß der Leo-Klon in der Ecke und schaute uns zu.

Vorsichtig streckte ich die Hände nach der Luke aus.

»Weiter, Monty!«, feuerte mich einer der Klone an. »Du schaffst es!«

»Ich bin oben!«, grunzte ich. Ich schob die Luke auf. Dann suchte ich nach einem Halt.

Plötzlich spürte ich einen stechenden Schmerz in meinem Zeigefinger. »Au!«, heulte ich auf und zog meine Hand schnell wieder zurück. Ich musste in einen Nagel oder so was gelangt haben.

Unter mir war es mit einem Mal still.

Da brüllte der Leo-Klon: »Er ist das Original! Schnappt ihn euch!«

O nein!

Die Klone spürten ja keinen Schmerz!, fiel es mir wieder ein. Ich hatte mich verraten!

Bevor ich etwas unternehmen konnte, wurde ich schon an den Fußgelenken gepackt.

Sie hielten mich fest und zerrten mich hinunter auf den Boden.

»Neiiin!« Ich kam zuerst mit den Füßen auf den Metallboden auf und fiel dann vornüber. *RUMS!,* knallte ich mit dem Kopf gegen einen der Plastikstühle.

»Ohhh«, stöhnte ich. Ich kauerte mich auf dem Boden zusammen und hielt mir den Kopf. Vor Schmerz schloss ich die Augen.

Als ich sie wieder öffnete, starrten mich drei identische Gesichter an. Hinter ihnen stand der Leo-Klon und überragte sie.

»Du hast uns angelogen, Monty«, sagte einer meiner Klone leise. »So was mögen wir nicht.«

»Wir mögen *dich* nicht, Monty«, fügte ein anderer hinzu. »Nichts an dir mögen wir.«

Die Angst schnürte mir die Kehle zu.

»W-w-was habt ihr mit mir vor?«, stammelte ich.

»Das, was du uns vorgeschlagen hast«, sagte er zu mir. »Wir werden uns deiner entledigen, Monty.«

Drei Paar Hände streckten sich gleichzeitig nach mir aus.

27

»Wartet!«, flehte ich sie an. »Könnten wir nicht darüber reden?«

»Was gibt's da zu reden, Monty?«, erwiderte einer der Klone.

»Genau, Monty. Was solltest du uns denn noch zu sagen haben?«, wollte ein anderer wissen.

»Du bist ein Verlierer, Monty«, höhnte der Dritte.

Warum müssen die bloß dauernd meinen Namen wiederholen?, fragte ich mich verzweifelt.

Und da kam mir eine zweite Idee.

Ob sie klappen würde, wusste ich nicht. Aber vielleicht konnte ich sie wenigstens ablenken, bis mir war Besseres einfiel.

»Ihr mögt den Namen Monty nicht, stimmt's«, sagte ich.

Die Klone schwiegen.

»Ich meine, das ist ja auch kein Wunder«, fuhr ich fort. »Monty ist ein schrecklicher Name. Das ist wohl der Hauptgrund, warum ihr mich nicht mögt.«

»Und?«, fragte einer von ihnen.

»Lasst mich wenigstens einen anderen Namen für mich aussuchen, bevor ich sterbe«, drängte ich sie. »Peter zum Beispiel. Ich wollte immer schon Peter heißen.«

»Peter?«, wiederholte der erste Klon.

»Genau. Peter Adams. Klingt doch gut, findet ihr nicht?« Ich lächelte schwach.

Der zweite Klon machte es sich auf dem Boden bequem. »Stimmt. Peter klingt gut«, erklärte er. »Der Name gefällt mir!«

»Nichts da!«, protestierte ein anderer Klon. »Peter ist doch langweilig. Wie wär's mit Francis?«

Francis? Igitt! Aber ich versuchte, mir nichts anmerken zu lassen. »Ja, Francis klingt auch gut«, log ich.

»Francis! Das ist ja noch schlimmer als Monty!«, spottete der erste Klon. »Bist du ein Penner oder was?«

Der dritte Klon stand mühsam auf. »Wer ist hier ein Penner, Monty?«

»Nenn mich nicht Monty!«, schrie der erste Klon. »Ich hasse den Namen! Ich bin Peter!«

»Nein, *ich* bin Peter!«, rief der zweite Klon.

»Nein, *ich*!«, behauptete der erste.

»Ach, hört doch auf!«, schnaubte der Leo-Klon. »Was soll das Getue mit den Namen.«

»Nennt mich nicht Monty!«, fing der dritte Klon wieder an. »Ich bin Francis!«

»Du bist ein Depp!«, rief der zweite Klon gehässig.

»Na warte!«, kreischte der dritte – und stürzte sich wütend auf die anderen beiden.

Und schon balgten sich die drei Klone auf dem Boden. Sie traten und boxten sich und brüllten vor Zorn.

»Na wunderbar«, knurrte der Leo-Klon. Er zog sich wieder in einen Stuhl in der Ecke zurück und starrte missmutig zu Boden.

Das war meine Chance.

»Hilfe!«, schrie ich. »Hilfe!«

»He!«, rief eine Stimme von draußen. »Was ist da drin los?«

Der Wächter! Er hatte mich gehört!

»Helft mir – bitte!«, schrie ich.

Die Klone achteten nicht darauf. Sie waren zu sehr mit ihrer Keilerei beschäftigt.

Da flog die Hecktür des Wagens auf. Ein großer, kräftig wirkender Mann mit schwarz gelocktem Haar stand in der Tür. »Was soll dieser Krach?«, sagte er.

Er glotzte nicht schlecht, als er die drei Klone entdeckte. Dann fiel sein Blick auf mich.

»Was ist das denn?«, fragte er verdattert. »Vierlinge oder was? Eine Zirkusnummer?«

Noch nie im Leben konnte ich so schnell denken.

»Sie müssen ihnen Einhalt gebieten!« schrie ich. »Sonst bringen sich meine Brüder noch gegenseitig um!«

»Okay, Leute. Hört auf! Aufhören!«, bellte der Wächter.

Das war meine Chance!

Mit klopfendem Herzen schob ich mich an dem Wächter vorbei – und sprang aus dem Wagen.

Ich schaute mich um. Wir waren tatsächlich auf einem Verladeplatz am Fluss. Obwohl es mitten in der Nacht war, tauchten riesige Scheinwerfer den Platz in taghelles Licht. Gewaltige Kräne drehten sich heulend hin und her und hievten Metallcontainer auf die Schiffe oder herun-ter.

»He!«, hörte ich den Wächter rufen. »Komm zurück! He – haltet den Jungen auf!«

Ich rannte, so schnell ich konnte, ohne mich auch nur ein einziges Mal umzudrehen.

Ich wusste nicht, wohin ich lief. Ich wusste nur, dass ich hier weg musste.

Schwere Schritte dröhnten hinter mir. Rasch versteckte ich mich hinter einer Reihe riesiger Metallcontainer.

»Wo ist er denn hin?«, rief jemand.

So lautlos wie möglich machte ich kehrt und lief in die andere Richtung.

Ich bewegte mich vom Flussufer weg und hielt mich die ganze Zeit möglichst im Dunkeln. Wenn ich einen offenen Platz überqueren musste, huschte ich wie der Blitz hinüber in den nächsten rettenden Schatten. Jedes Mal wenn ich eine Stimme oder Schritte hinter mir hörte, bekam ich einen Schreck, aber nichts geschah.

Schließlich kam ich am Eingang des Hafens an. Ein hoher Maschendrahtzaun ragte vor mir auf. Große Lastwagen ratterten vorbei.

Auf einem grünen Autobahnschild stand PHILA-DELPHIA 28. MORTONVILLE 8. Der Pfeil nach Mortonville zeigte nach links.

Ich war acht Meilen von Onkel Leos Haus entfernt.

Ich warf einen Blick zurück. Niemand schien mir zu folgen.

Immer noch im Schutz der Dunkelheit trat ich auf die Straße hinaus und marschierte los. Acht Meilen. Wenn ich Glück hatte, war ich rechtzeitig zum Frühstück zu Hause...

Ich war die ganze Nacht unterwegs. Die rote Sonne tauchte gerade über den Dächern der Häuser auf, als ich auf Onkel Leos Haus zusteuerte.

Mein Hemd war zerknittert und verschwitzt. Meine khakifarbene Hose war total verdreckt.

Am ganzen Körper zitternd, schielte ich durchs Küchenfenster. Ich konnte Nan, Onkel Leo und meinen Klon erkennen. Meinen Klon, der wie selbstverständlich am Frühstückstisch saß!

Ich duckte mich weg und ging auf die Haustür zu.

In wenigen Sekunden würde ich ihm gegenüberstehen, dem Jungen, den Nan für mich hielt. Dem Jungen, der mir mein Leben gestohlen hatte.

Ich musste mir mein Leben zurückholen. Ich musste Nan und Onkel Leo beweisen, dass ich der richtige Monty bin.

Aber wie?

Wie?

Ich schluckte und läutete dann mit wildem Herzklopfen an der Tür.

28

»War das die Türglocke?«, fragte ich.

»Ich hab nichts gehört, Nan«, antwortete Monty. Er klopfte mit dem Löffel an seine leere Müslischale. »Gib mir mal die Frosties rüber.«

Ich starrte aus dem Küchenfenster. Das Licht der Morgensonne strömte herein.

Ich hatte in der Nacht kaum geschlafen. Ich musste die ganze Zeit an das furchtbare Ereignis von gestern denken. An diese bösen Klone.

Bin ich froh, dass das vorbei ist!, dachte ich seufzend. Hoffentlich sind diese Klone jetzt schon auf dem Weg nach Südamerika. Dad, Monty und ich werden uns erst wieder sicher fühlen, wenn sie weit, weit weg sind.

»Nan – die Frosties bitte«, wiederholte Monty.

»Oh, Entschuldigung«, murmelte ich. »Ich war in Gedanken...«

»Denk nicht mehr drüber nach, Nan«, sagte Dad. »Das war alles ganz schrecklich. Aber jetzt müssen wir zu unserem normalen Leben zurückkehren.«

Ich reichte Monty die Corn-Flakes und nahm mir einen gezuckerten Doughnut aus der Tüte, die auf dem Tisch lag. »Mmmm.« Weich und frisch.

Es läutete an der Tür.

»Also hat es *doch* geläutet!«, rief ich aus.

»Ich mach auf.« Monty sprang auf und lief zur Küche hinaus. Ich hörte, wie er die Haustür öffnete. Und dann brüllte er los.

»Was machst du denn hier?«, schrie Monty. »Hau ab!«

»Was ist denn da los?« Dad erhob sich unsicher.

Man hörte laute, eilige Schritte. Dann kam Monty atemlos in die Küche zurückgerannt.

Gefolgt von – Monty!

Ich sprang auf. Mir stockte der Atem. Ich starrte von einem zum anderen.

Der erste Monty trug ein blau-weiß gestreiftes Fußballtrikot und ausgewaschene Jeans. Der zweite Monty trug eine verdreckte khakifarbene Hose und ein zerrissenes, zerknittertes, verschwitztes blaues Hemd.

»Er ist aus dem Möbelwagen abgehauen!«, rief der erste Monty. »Er ist ein Klon!«

»Hört zu«, keuchte der zweite Monty. »*Er* ist der Klon! Ich bin Monty! Du hast dich gestern vertan, Nan. Du musst mir glauben!«

Oh wow, dachte ich. Mir schwirrte der Kopf. Ich sank auf meinen Stuhl zurück.

Der Albtraum – jetzt fängt er wieder von vorn an…

»Das lasse ich nicht zu!«, schrie der erste Monty. »Du gehörst mit den anderen nach Südamerika. Du kannst mir nicht mein Leben stehlen!«

»*Dein* Leben?«, stieß der zweite Monty hervor. »Das ist *mein* Leben!«

Mit einem verzweifelten Schrei warf er sich auf den ersten Monty. Die beiden fingen an, auf dem Küchenboden miteinander zu kämpfen. Sie boxten aufeinander ein und wälzten sich herum.

Ich presste meine Hände vors Gesicht und schaute entsetzt zu. »Dad, was machen wir denn jetzt?«, rief ich.

»Ich weiß nicht, wie wir das lösen können«, seufzte er. »Keine Ahnung, wie wir sie auseinander halten können!«

Ich schnippte mit den Fingern.

»Ich weiß«, sagte ich. »Ich hab eine Idee.«

29

Ich nahm die Doughnut-Tüte vom Tisch und holte zwei Doughnuts heaus. »Hört auf!«, schrie ich. »Hört sofort auf! Ich weiß eine Lösung!«

Erstaunlicherweise ließen sie sofort voneinander ab und schauten mich verwundert an.

Mein Herz pochte laut. Hoffentlich funktioniert das auch!, dachte ich.

Ich reichte jedem von ihnen einen Doughnut. »So. Die esst ihr jetzt«, befahl ich ihnen. »Weißt du noch, was letztes Mal passiert ist, Dad? Gleich werden wir wissen, welcher der richtige Monty ist.«

Die beiden Montys zögerten.

»Los. Aufessen«, drängte ich.

Der eine Monty zuckte mit den Schultern. Dann biss er in den Doughnut.

Der zweite Monty zögerte einen Augenblick länger. »Gibt's denn keine andere Möglichkeit?«, murmelte er.

Dann biss auch er in seinen Doughnut.

Ich wartete mit verschränkten Armen, was passieren würde. Dad beobachtete die beiden über den Rand seiner Brille hinweg.

Ich warf einen Blick auf die Küchenuhr. Jede Sekunde kam mir vor wie eine Stunde.

Und da – »*Würggg!*«

Der erste Monty krümmte sich. Und spuckte den ganzen Küchenboden voll.

»Monty!«, schrie ich auf und warf ihm die Arme um den Hals. Es machte mir auch nichts aus, dass er immer noch spuckte. »Ich wusste, dass du es bist«, rief ich aus.

»Das war wirklich schlau von dir, Nan!«, sagte Dad lächelnd. »Aber auch ganz schön riskant. Niemand weiß genau, wie Allergien funktionieren. Der Klon hätte genauso gut gegen Erdnussöl allergisch sein können.«

Ich kicherte, während ich meinen Bruder weiter umarmte. »Gut, dass ich nichts über Allergien weiß!«

Der Monty-Klon schäumte vor Wut. »Das ist ein gemeiner Trick!«, fauchte er.

»Es reicht jetzt mit dir«, schnaubte Dad den Klon an und packte ihn am Hemdkragen. »Du kommst jetzt wieder in den Möbelwagen! Du kannst in meinem Labor warten, bis Fred und die anderen dich abholen kommen.«

»Ihr irrt euch!«, heulte der Klon. »*Er* ist der Klon. Ich sage euch, *er ist der Klon!*«

»Du gibst einfach nicht auf,was!«, rief ich.

Dad zerrte den Klon hinaus. Monty und ich holten schnell ein paar Küchentücher, um die Schweinerei aufzuwischen.

Am Abend lagen Monty und ich ausgestreckt auf dem Teppich vor dem Fenster. Wir futterten eine große Schüssel Popcorn und sahen uns einen ziemlich doofen *Police-Academy*-Film an.

»Das Schiff mit den Klonen muss jetzt unterwegs nach Südamerika sein«, meinte Monty.

»Bin ich froh, dass wir die los sind«, sagte ich schaudernd. »War der Doughnut-Test nicht schlau von mir?«

Monty rollte sich auf die Seite. »Ich war aber noch schlauer«, bemerkte er leise.

»Was?« Ich starrte ihn an.

»Ich hab die Doughnuts ausgetauscht, bevor du aufgewacht bist«, sagte er. »Ich hab welche gekauft, die normal im Ofen gebacken sind und nicht in Fett. Da war kein Erdnussöl drin.«

»Aber – aber das versteh ich nicht!«, stammelte ich. »Dir ist doch schlecht geworden, Monty! Du hast dich übergeben!«

Er zuckte mit den Schultern. »Ich hab nur so getan. Ich hab das seit Wochen geübt.«

Mir blieb fast das Herz stehen. Ich setzte mich auf. »Soll das heißen, *du* bist der Klon?« Ich zitterte am ganzen Leib. »Und wir haben den richtigen Monty nach Südamerika geschickt?«

»Du bist zwar langsam«, höhnte er. »Aber jetzt hast du's kapiert.«

»Aber wie ist das möglich?«, stieß ich hervor. »Wie hast du das angestellt? Woher wusstest du das mit den Doughnuts – und alles andere?«

»Ich hab fleißig gelauscht«, antwortete er. »Zum Beispiel hab ich diese doofe Geschichte mit den zwei geklauten Geburtstagsgeschenken mit angehört. Und ich hatte mich draußen vor dem Küchenfenster versteckt, als er den Doughnut gegessen und gekotzt hat.«

Mir war auf einmal eiskalt. »Wie konntest du das tun?«, jammerte ich. »Wie konntest du das dem armen Monty nur antun?«

Der Klon grinste mich an. Es war ein breites, grausames Grinsen.

»Nan«, flüsterte er mir ins Ohr. »Ich bin dein böser Zwilling!«

Rache ist ...

1

Vera Brill.

Ich malte meinen Namen mit dem Finger auf den beschlagenen Spiegel in unserem Badezimmer. Dann wischte ich ihn mit einem Handtuch wieder weg.

Dampf hing noch immer im Raum und es war heiß, weil ich gerade geduscht hatte. Ich betrachtete mich im Spiegel und fing an mein dunkelblondes Haar zu bürsten. Dann steckte ich meinen Pony sorgfältig mit einer Haarklammer fest.

Am besten ziehe ich zu Ericas Geburtstagsparty mein weißes Sommerkleid an, beschloss ich. Und die weißen Sandalen.

Ericas Party war als Grillfest im Garten geplant. Doch ich konnte hören, wie der Regen ans Fenster prasselte.

Das ist mir egal, sagte ich mir. Das weiße Sonntagskleid ist mein coolstes Outfit. Ich werde einfach so tun, als ob es draußen sonnig und warm wäre.

Ich eilte in mein Zimmer, um mich anzuziehen. Ich wollte nicht zu spät zum Fest kommen. Regen trommelte ans Fenster und übertönte beinahe die Stimmen aus dem Fernseher, der auf der Kommode stand.

Ich schnappte mir das Sommerkleid und nahm es vom Kleiderbügel. Der Film, der im Fernsehen lief, erregte meine Aufmerksamkeit: *Die Rache des Wurmvolkes.*

Den hatte ich schon einmal gesehen. Er war echt albern – es ging dabei um Würmer, die riesengroß werden und über ein Fischerdorf herfallen, weil sie nicht mehr als Fischköder benützt werden wollen.

Aber ich sehe mir jeden Streifen an, der das Wort *Rache* im Titel führt.

Ich denke oft über Rache nach.

Das würdest du auch – wenn du meinen Bruder kennen würdest.

Mike Brill. So heißt er. Und er ist ein echter Blödmann.

Mike ist siebzehn, fünf Jahre älter als ich. Er ist groß, hat gewelltes Haar und sieht gut aus. Man sollte eigentlich meinen, er würde sich Gleichaltrige aussuchen, um sie zu nerven. Aber stattdessen quält er mich, seit dem Tag meiner Geburt.

Er triezt mich nicht einfach nur. Er trickst mich aus, behandelt mich wie eine Sklavin und blamiert mich vor meinen Freunden.

Letzte Woche hatte ich ein paar Freunde zu Besuch. Wir sahen uns ein Video an. *Die Rache der Schatten-*

wesen. Ich hab's dir ja schon gesagt. Ich gucke mir alles an, was *Rache* im Titel hat!

Mein Freund Carl Jeffers war da. Und meine Freundin Julie Wilson und ihr Bruder Steve.

Ich gebe es zu. Ich bin ein bisschen in Steve verschossen. Er geht in die achte Klasse und ist echt cool. Deshalb habe ich mir alle Mühe gegeben, ebenfalls cool zu wirken.

Aber natürlich hat mir Mike alles verdorben.

An der besten Stelle des Videos kam er ins Wohnzimmer spaziert und sagte laut: »He, ihr Pappnasen! Wie gefällt euch mein neuer Hut?«

Bist du bereit für eine Lachnummer? Mike trug meine Unterwäsche auf dem Kopf.

Einen alten rosa Slip, den Tante Claire mir mal geschenkt hat. Auf dem stand vorne MONTAG.

Meine Freunde lachten. Ich konnte spüren, wie mir heiß im Gesicht wurde. Mir war klar, dass ich rot anlief wie eine Tomate. Mike tänzelte durchs Zimmer, wedelte jedem mit der Unterhose vor der Nase herum und amüsierte sich köstlich.

»Vera, hast du heute MITTWOCH an?«, juxte Julie. Ha, ha!

»Los, wir sehen nach!«, grölte Mike. Er stürzte sich auf mich und versuchte mir die Shorts herunterzuziehen.

»Lass mich los, du Vollidiot!«, schrie ich. Ich rammte ihm so heftig ich konnte den Kopf in den Bauch.

Das nahm ihm ein bisschen den Wind aus den Segeln. Er zog sich die Unterhose vom Kopf und warf sie Steve zu.

Oje!

Hätte das nicht ein einmaliges Foto abgegeben? Der Junge, auf den ich stehe, sitzt neben mir mit meiner Unterhose in den Händen!

Mit einem Bruder wie Mike ist jeder Moment des Lebens eine Qual.

Ständig durchwühlt er die Schubladen meiner Kommode und schnüffelt in meinem Zimmer herum. Und ich weiß auch, warum. Er ist hinter meinem Tagebuch her.

Doch er kann es nicht finden. Ich habe ein geheimes Versteck dafür. Ich werde nicht zulassen, dass Mike mich auch noch mit meinem Tagebuch bloßstellt. Nie und nimmer!

Außerdem leiht sich Mike andauernd Sachen von mir aus, ohne mich zu fragen. Einmal hat er sich zwei meiner Lieblings-CDs genommen und sie einem seiner Freunde *geschenkt*!

Er tut, was er kann, um mir das Leben zu vermiesen. Er weiß, dass ich in der Schule nicht so gut bin wie er. Ich muss mich beim Büffeln leider fürchterlich anstrengen.

Und was tut er? Jedes Mal, wenn ich für eine Schulaufgabe lerne, dreht er seine Stereoanlage so laut auf, wie es nur geht.

Manchmal würde ich am liebsten laut schreien.

Am besten sprichst du das Thema Mike gar nicht an. Denn wenn ich erst mal in Fahrt komme, über ihn zu reden, dann bin ich nicht mehr zu bremsen ...

Einmal hat Mom zu Mike gesagt, er dürfe am Samstagabend nicht aus dem Haus, bevor er nicht sein Zimmer aufgeräumt habe. Obwohl er siebzehn ist, schmeißt er seine Siebensachen einfach auf den Boden wie ein zweijähriges Kind.

»Vera, du musst mir einen großen Gefallen tun«, flüsterte er mir zu. »Wenn du mein Zimmer aufräumst, zahle ich dir fünfundzwanzig Dollar.«

Na ja, fünfundzwanzig Dollar hätte ich wirklich gut brauchen können. Wer könnte das nicht? Also räumte ich sein wüstes Zimmer auf – und das war nicht einfach, das kannst du mir glauben. Es war, als hätte ich ein *Sumpfloch* sauber gemacht. Sogar eine tote Maus habe ich unter seinem Bett entdeckt, verwest und Ekel erregend.

Ich brauchte den ganzen Tag dazu. Als Mom sein Zimmer begutachtete, klopft sie Mike auf den Rücken und lobte ihn für seine reife Leistung.

Nachdem sie wieder gegangen war, verlangte ich mein Geld. »Rück die Mäuse raus, Mike. Fünfundzwanzig Scheine.«

Er glotzte mich an, als wäre ich verrückt geworden. »Fünfundzwanzig Dollar?«, zeterte er. »Wo soll ich denn fünfundzwanzig Dollar hernehmen?« Und damit rannte er hinaus, um sich mit seinen Freunden zu treffen.

Kann ich mich bei meinen Eltern über ihn beklagen? Nein, ausgeschlossen. Sie finden ihn großartig.

Er bekommt immer Einsen. Er ist der Kapitän der Fußballmannschaft seiner Schule. Und fürs College bekommt er höchstwahrscheinlich ein Stipendium.

Na, wenn schon? Das bedeutet noch lange nicht, dass er ein *Mensch* ist.

Manchmal versuche ich mich über ihn zu beschweren. Als Mom an dem besagten Tag aus dem Supermarkt nach Hause kam, empfing ich sie schon an der Tür. »Mom – Mike hat schon wieder meine Kommode durchwühlt. Er kam vor meinen Freunden hereinspaziert und trug eine meiner Unterhosen auf dem Kopf!«

Mom lachte. »Dein Bruder hat wirklich witzige Ideen!« Sie schob sich an mir vorbei in die Küche, um ihre Einkäufe abzustellen.

»Aber, Mom…«, protestierte ich.

»Er zieht dich doch nur auf, weil er dich gern hat«, rief Mom zu mir zurück.

Aber klar doch. Ganz bestimmt.

Mein Bruder ist eine totale, supergroße Nervensäge. Aus diesem Grund sehe ich mir so gern *Rache*-Filme an.

Doch ich hatte jetzt keine Zeit zum Fernsehen. Ich musste mich für Ericas Party fertig machen.

Als ich mich auf die Bettkante setzte, um meine weißen Sandalen anzuziehen, hatte ich noch keine Ahnung, dass dies der schlimmste Tag meines Lebens werden würde.

Aber vielleicht auch der beste…

2

»Aber wieso kannst *du* mich nicht zur Party fahren?«

Ich folgte Mom aus dem Schlafzimmer ins Badezimmer, wo sie sich fertig ankleidete. Sie und Dad mussten zu einem Bankett des Krankenhauses. Mein Vater ist Arzt.

»Wir fahren nicht selbst«, erwiderte Mom. »Dr. Tolbert holt uns ab.«

»Mike hat den Wagen«, mischte Dad sich ein. Er kämpfte mit seiner Krawatte. »Ich habe dir doch gesagt, dass er dich zu deiner Party fährt.«

»Aber Mike ist noch immer in der Sporthalle!«, wandte ich ein. »Er hätte schon vor einer halben Stunde zurück sein sollen!«

»Er wird es schon nicht vergessen«, sagte Dad.

Ich verdrehte die Augen. Mike hatte mich nur schon tausendmal vergessen. In dieser Woche, versteht sich. Die anderen Male zähle ich gar nicht.

Mom streifte sich einen Armreif über die Hand und betrachtete sich prüfend im Spiegel. »Viel Spaß auf Ericas Party. Wie schade, dass es so schüttet.«

Ich hörte Dr. Tolbert draußen hupen und sah vom Fenster aus, wie meine Eltern davonfuhren. Wo ist Mike?, fragte ich mich zornig. Wo steckt er bloß?

Zum hundertsten Mal begutachtete ich mich im Spiegel. Dann lief ich nervös auf und ab. Dabei behielt ich meinen digitalen Radiowecker im Auge, dessen Anzeige weiterklickte.

6:20 ... 6:21 ... 6:22...

Ich kochte! Ericas Party hatte bereits angefangen. Dieser dämliche Mike!

Wahrscheinlich ist er noch immer in der Sporthalle, sagte ich mir. Spielt mit seinen Kumpels Basketball und hat mich völlig vergessen.

Oder er hat mich nicht vergessen, kümmert sich aber nicht darum.

Ich werde die Party verpassen. Ich werde die ganze Sache verpassen!

Ich platze gleich! Ich bin so wütend, dass ich jeden Moment explodiere!

»AAAHH!« Ich stieß einen schrillen Schrei aus. Irgendetwas musste ich schließlich tun.

Dann schnappte ich mir das Telefon und rief meinen Freund Carl an. Er wohnt einen Straßenblock weiter. Vielleicht konnte er mich abholen.

Seine Mutter war am Apparat. »Oh, tut mir Leid, Vera. Ich habe Carl schon vor mindestens einer halben Stunde bei Erica zu Hause abgesetzt.«

Natürlich. Carl war bereits auf der Party. Er war ja auch nicht auf Mike angewiesen. Auf Mike, diesen Idioten.

Vielleicht konnte ich ja zu Fuß zu Erica gehen? Ich schaute hinaus in den strömenden Regen. Nein. Zu weit.

Die Sporthalle lag näher. Nur vier Straßenblöcke weit entfernt.

Ich werde zur Sporthalle gehen und Mike rausholen, beschloss ich.

Ich schaute auf meine weißen Sandalen hinunter. Ein bisschen Regen wird ihnen schon nicht schaden, dachte ich. Ich habe ja nicht weit zu gehen.

Ich holte mir einen Schirm, trat in den Regen hinaus und ging die Einfahrt hinunter. »Ohhh.« Ich stieß einen leisen Schrei aus, als mir kaltes Wasser über den Fuß lief. Ich war in eine tiefe Pfütze getreten.

Ich biss die Zähne aufeinander und platschte die Straße entlang. Ein kleiner Bach floss den Rinnstein entlang. Ich stemmte den Schirm gegen den Wind.

Plötzlich packte ein heftiger Windstoß den Regenschirm und stülpte ihn um.

Regen schwappte über mich hinweg wie eine Meereswoge. Innerhalb einer Sekunde war ich vom Pony bis zu den Sandalen klatschnass.

»Mike!«, knurrte ich. »Dafür drehe ich dir den Hals um!«

Ich warf den Regenschirm in einen Abfalleimer und kämpfte gegen den Wind an. Das Haar hing mir triefend ins Gesicht. Mein Sommerkleid klebte mir feucht auf der Haut.

Ich trottete einen Straßenblock weiter. Da sah ich ein Auto, das auf mich zubrauste.

Mir blieb keine Zeit zu schreien. Oder vom Randstein zurückzuspringen.

Der Wagen rauschte auf mich zu. Bremste mit kreischenden Reifen ab – und ließ dabei das Wasser hoch aufspritzen. Eine Flutwelle aus Wasser und Schlamm!

Der kalte, dickflüssige Schwall schwappte über mich hinweg.

»Ohhhh.« Verdattert taumelte ich zurück und wischte mir mit beiden Händen die Pampe aus den Augen.

»Mein Kleid!«, kreischte ich. Es war tropfnass und völlig verdreckt.

Der Fahrer kurbelte das Fenster herunter. »Kann ich dich irgendwohin mitnehmen?«

Mike!

Er warf den Kopf zurück und lachte. Seine dunklen Augen blitzten schadenfroh.

»Du ... du ... du *Ungeheuer*!«, plärrte ich. »Sieh dir bloß mal an, was du angerichtet hast! Das erzähle ich Mom und Dad!«

»Was willst du ihnen denn erzählen?«, wollte er, immer noch grinsend, wissen. »Das war ein Missgeschick. Ich hab die Schlammpfütze nicht gesehen.«

»Du hast das mit Absicht gemacht!«, kreischte ich. »Ich sage Mom und Dad, dass du wie ein Verrückter gefahren bist. Dann werden sie nie erlauben, dass du ein eigenes Auto bekommst!«

Das ist Mikes Traum. Er wünscht sich mehr als irgendetwas sonst einen eigenen Wagen. Im Sommer hat er im Freibad Schwimmunterricht gegeben und jeden Penny für ein Auto beiseite gelegt.

Mike zuckte die Achseln. »So was kann jedem mal passieren.«

Er kniff mich durchs Wagenfenster in die Backe. Ich versuchte ihn in die Finger zu beißen. Dann stieg ich ins Auto. Ich meine, was hätte ich sonst schon tun können?

Den ganzen Weg bis zu Erica brütete ich schweigend vor mich hin. Mike ließ mich an der Einfahrt raus. Ich stieg aus und knallte die Tür wütend zu, ohne Tschüss zu sagen.

»Viel Spaß«, rief Mike hämisch hinter mir her. »Und übrigens – du siehst großartig aus.«

Dann fuhr er mit einem Blitzstart los – und spritzte mich noch einmal voll!

Ich trottete zur Haustür. Drinnen konnte ich Kinder lachen und reden hören. Wasser lief mir über die Stirn in die Augen, sodass ich Mühe hatte, den Klingelknopf zu finden.

Als Erica die Tür öffnete, klappte ihr die Kinnlade herunter. »Vera? Was ist denn mit dir passiert?«

»Frag mich nicht«, murmelte ich.

»Schönes braunes Kleid«, sagte sie mit einem Grinsen.

»Sehr komisch«, knurrte ich. »Ha, ha! Hast du irgendetwas, das du mir leihen kannst?«

Ich folgte ihr in ihr Zimmer. Sie gab mir ein T-Shirt und eine verwaschene Jeans. »Herzlichen Glückwunsch zum Geburtstag«, sagte ich. »Ich war so wütend auf Mike, dass ich das Geschenk für dich leider zu Hause vergessen habe.«

»Du kannst dich im Badezimmer abtrocknen und umziehen«, meinte sie.

Im Badezimmer zog ich die schlammverschmierten Sandalen aus und wusch sie im Waschbecken ab. Dann strich ich mir das triefend nasse Haar zurück und versuchte mir den Dreck vom Gesicht zu reiben.

Als ich blindlings nach einem Handtuch griff, fiel mir dabei versehentlich etwas auf den Boden. Ich trocknete mir das Gesicht ab und schaute nach unten.

Ein kleiner Stapel Zeitschriften.

Ich bückte mich, um sie aufzuheben.

Ich hatte keine Ahnung, wie wichtig dieser Moment war. Er sollte mein Leben verändern.

Eine der Zeitschriften war beim Herunterfallen aufgeblättert. Ich hob sie auf und starrte auf die aufgeschlagene Seite.

Da stand eine Anzeige. Eine sehr sonderbare Anzeige. Es war nur ein kleiner Kasten mit einer Adresse darin.

Und den Worten: DIE RACHE IST UNSER.

3

Rache. Mein Lieblingswort.

Kurz entschlossen riss ich die Anzeige heraus und stopfte sie in die Tasche. Dann zog ich mich um und eilte die Treppe hinunter, um mich ins Partygetümmel zu stürzen.

Als ich später am Abend nach Hause kam, legte ich die Anzeige auf die Kommode. Dann holte ich mein Tagebuch aus seinem geheimen Versteck hervor – es liegt immer unter der Matratze.

Ich schreibe so gut wie jeden Tag Tagebuch. An diesem Abend überflog ich aber vorher die Einträge der letzten Wochen.

Da gab es ein paar Seiten darüber, wie ich mit meinem Freund Carl beim Bowling war, und einige Zeilen darüber, dass ich Steve Wilson süß finde. Aber der größte Teil des Sommers war mit all den Gemeinheiten gefüllt, die mir Mike angetan hatte.

Ich hoffe, er geht nächstes Jahr – weit, weit weg – aufs College, schrieb ich. *Gibt es auch Colleges auf dem Mars?*

Einige Tage später war der Wolkenbruch Vergangenheit und es war glühend heiß. Carl und ich gingen ins Freibad. Wir wären am liebsten bis zum Herbst im Wasser geblieben.

Carl und ich schwammen gerade um die Wette, als der Bademeister in die Trillerpfeife blies. Über die Lautsprecheranlage verkündete er: »Becken frei für die Erwachsenen.«

Im Becken wurde Stöhnen laut. Es bedeutete, dass wir alle aus dem Wasser steigen mussten, während die Erwachsenen eine halbe Stunde lang ihre Runden drehen durften.

»Wollen wir zum Kiosk?«, fragte Carl.

Eine Horde Kinder stürmte bereits zum Kiosk, um sich etwas Erfrischendes zu kaufen. »Nee. Viel zu voll«, erwiderte ich.

Wir streckten uns auf unseren Handtüchern im Gras aus. Julie Wilson lag ganz in der Nähe und räkelte sich in ihrem Bikini. Ihr Bruder Steve saß neben ihr und ließ eine Frisbeescheibe um seinen Finger wirbeln.

Da schaltete sich die Lautsprecheranlage wieder mit

einem Knacken ein. Wir hörten, wie sich jemand räusperte.

»Achtung, bitte«, erscholl eine Stimme. Es war nicht die des Bademeisters. Aber eine Stimme, die mir irgendwie vertraut vorkam.

»Noch mehr blöde Ankündigungen«, maulte Steve.

»Macht euch auf ein Hörvergnügen der besonderen Art gefasst!«, verkündete die Lautsprecherstimme fröhlich. »Der Riverside-Schwimmklub präsentiert einen neue Lesereihe. Um die Jugend bei Laune zu halten, während die Erwachsenen schwimmen.«

»Was?« Carl verzog das Gesicht. »Das haben sie doch noch nie gemacht.«

»Heute«, dröhnte die Stimme, »stellen wir *Das Tagebuch der Vera Brill* vor.«

Ich schnappte nach Luft. Alle wandten sich mir zu und starrten mich an.

Und plötzlich war mir klar, wem die Stimme gehörte.

»Nein!«, schrie ich. »Das kann er nicht tun!«
Doch Mike *tat* es.

»Die meisten von euch kennen Vera«, kam Mikes Stimme aus den Lautsprechern. »Aber falls jemand sie nicht kennt, sie ist das Mädchen auf dem Rasen mit dem kurzen dunkelblonden Haar und einem Badeanzug, der ihr nicht richtig passt.«

Viele Kinder tuschelten und lachten. Ein großer Junge wies in meine Richtung. Alle glotzten mich an.

Ich wäre am liebsten gestorben.

Mike räusperte sich noch einmal. »*Kapitel eins: Donnerstag, sechsundzwanzigster Juni. War heute mit Mom im Supermarkt. Mom suchte gerade ein Deospray aus, als Steve Wilson den Gang entlangkam. Er hat sein Haar neuerdings ganz kurz und stachlig geschnitten. Er sieht echt süß aus. Ich glaube, ich bin in ihn verknallt.*«

Meine Wangen wurden rot vor Zorn und Scham. Wie hatte Mike bloß mein Tagebuch entdeckt?

Alle am Schwimmbecken gafften mich an. Ich konnte fühlen, wie mich ihre Blicke förmlich durchbohrten.

Ich wagte es nicht, Steve anzusehen. Aber ich konnte hören, wie er in das Gelächter der anderen mit einstimmte.

Ich sprang auf und rannte zum Büro des Freibads. Wenn ich es doch nur schaffen würde, Mike zu stoppen, bevor er noch mehr vorlas!

»Oh – das hier ist gut«, dröhnte Mikes Stimme über das Schwimmbecken hinweg. »*Samstag, achtundzwanzigster Juni. Steve hat heute Hallo zu mir gesagt. Ich meine, er sagt immer Hallo. Aber heute, glaube ich, hat er es auf eine ganz besondere Art gesagt...*«

Rache.

Dieses Wort ging mir den ganzen Abend und den nächsten Tag über nicht mehr aus dem Kopf. Eines war sicher: Das würde ich Mike nicht durchgehen lassen. Ich wartete schon seit zwölf Jahren darauf, es ihm einmal heimzuzahlen.

Nun war der Zeitpunkt gekommen.

Ich nahm die Zeitschriftenanzeige von meiner Kommode und las sie wieder und wieder durch. DIE RACHE IST UNSER.

Was bedeutete das? War das eine Firma, die für andere Leute Rache übte? War so etwas möglich?

Keine Telefonnummer. Kein weiterer Hinweis. Es war ziemlich geheimnisvoll …

Die angegebene Adresse lautete Flamingo Road. Das war ganz am anderen Ende der Stadt in einer ziemlich üblen, heruntergekommenen Gegend.

Mir war klar, dass ich da nicht alleine hingehen konnte. Ich brauchte Carl als Begleitschutz. Doch der war mit seinen Eltern für ein paar Tage verreist.

Also musste ich warten.

Aber vielleicht konnte ich, während ich darauf wartete, dass Carl zurückkehrte, schon einmal einen eigenen kleinen Racheplan aushecken.

Ich ging in den Garten hinterm Haus, um in Ruhe darüber nachzudenken. Es war ein heißer Sommertag. Die Sonne strahlte herab und über den Blumenbeeten tanzten die Schmetterlinge.

PLATSCH! »Hab ich wieder eine!«, unterbrach Moms Stimme meine Gedankengänge.

Ich wandte mich um und sah sie im Gemüsegarten

knien, wo sie mit einem Spaten große silbrig glänzende Schnecken erschlug. Sie blieben zermatscht auf der Erde liegen. Mom warf die Leichen in einen Korb.

»Mom, das ist total widerlich«, brummte ich.

»Nach schweren Regenfällen kommen alle Schnecken aus dem Boden hervor«, erklärte mir Mom. »Aber ich bin ziemlich gut darin, sie platt zu machen.«

PLATSCH! »Treffer!«

»Igitt«, stöhnte ich. »Ich geh wieder rein.«

»Dein Bruder ist auch im Haus«, sagte Mom, »mit diesem Mädchen, das er so mag. Sophie Russell.«

»Sie ist viel zu gut für diesen Mistkerl!«, knurrte ich.

Mom schaute von den Schnecken auf. »Vera, wieso musst du eigentlich immer auf Mike herumhacken?«

»Was? Ich auf ihm?« Ich stieß einen wütenden Schrei aus, drehte mich abrupt um und stürmte ins Haus.

Mike war in der Küche und gab sich alle Mühe, bei Sophie Eindruck zu schinden. Ich blieb im Flur stehen und beobachtete die beiden eine Weile heimlich. Mike löffelte Kaffee in die Kaffeemaschine.

»Willst du welchen?«, fragte er Sophie. »Ich bin ein Koffeinfreak. Ich muss mindestens drei Tassen am Tag haben.«

Ich musste mir die Hand auf den Mund pressen, damit sie mein prustendes Gelächter nicht hörten. Drei Tassen am Tag? Er trank *nie* Kaffee! Was für ein Aufschneider!

»Ich nehme eine halbe Tasse«, sagte Sophie. »Mit viel Milch.«

Gleich wird mir schlecht bei dem Gesülze, dachte ich.

Am liebsten wäre ich schreiend in mein Zimmer gerannt. Aber irgendeine Ahnung sagte mir, dass ich besser noch bleiben sollte.

Ganz allmählich kam mir eine Idee. Eine echt fiese Idee.

Endlich Rache...

4

PLATSCH! Ich konnte hören, wie Mom draußen vor dem Haus noch immer Schnecken tötete. Das war es, was mich auf die Idee brachte.

Ich trat in die Küche und begrüßte die beiden. »Was macht ihr?«, fragte ich mit Unschuldsmiene. »Kaffee kochen?«

Mike funkelte mich drohend an. Sein Blick sagte: Vermassle mir das bloß nicht, Vera, oder ich dreh dir den Hals um.

Ich lächelte ihn wie eine liebe kleine Schwester an. Mach dir keine Sorgen, signalisierte ich ihm mit meinem Blick. Ich spiele dein Spielchen mit.

Mike trommelte mit den Fingern auf die Anrichte. »Ich wünschte mir, der Kaffee würde sich ein bisschen beeilen und endlich kochen. Ich brauche meine nächste Koffeinration.«

»Mike trinkt tonnenweise Kaffee«, flunkerte ich und lächelte Sophie zuckersüß an. Mike sah zufrieden, aber argwöhnisch drein.

»He, wieso geht ihr nicht ins Wohnzimmer und schaut fern?«, schlug ich vor. »Wenn der Kaffee fertig ist, bringe ich ihn euch.«

Sophie lächelte mich an. »Das ist sehr lieb von dir! Du bist ganz anders als *meine* kleine Schwester.«

»Klar.« Ich konnte sehen, dass Mike sich fragte, was in mich gefahren war. Aber er sagte: »Danke, Vera. Kannst du uns auch ein paar Kekse mitbringen?«

Kekse? Kein Problem. Und eine besondere Überraschung obendrein.

Ich sah ihnen nach, als sie ins Wohnzimmer spazierten. Vor dem Spiegel blieb Mike stehen, um einen Blick auf seine Frisur zu werfen. Sein langes, gewelltes dunkles Haar liegt ihm sehr am Herzen. Mal abgesehen davon, mir das Leben schwer zu machen.

»Ich kenne einen Typen, der mich vielleicht bei MTV unterbringen kann«, erzählte er Sophie.

So ein Lügner!

Ich schlich mich in den Garten hinaus. Mom war so eifrig damit beschäftigt, Schnecken platt zu machen, dass sie mich gar nicht bemerkte. Ich griff in den Korb mit den Schnecken und holte vier oder fünf fette, saftige he-raus.

Igitt.

Die feuchten, schleimigen Dinger klebten mir an den Händen.

Ich flitzte zurück in die Küche und ließ die Schnecken in eine Kaffeetasse fallen. Dann wusch ich mir die Hände dreimal hintereinander, um das schleimige Gefühl loszuwerden.

Schließlich war der Kaffee fertig. Ich schenkte zwei Tassen ein, eine mit Schnecken und eine ohne. Ich gab reichlich Milch und Zucker dazu und rührte um. Dann brachte ich den Kaffee ins Wohnzimmer.

Gleich werden wir sehen, wie sehr du auf Kaffee stehst, Mike!, dachte ich voller Vorfreude.

Sophie und Mike saßen auf dem Sofa. Er fuhr sich mit der Hand durchs Haar und prahlte damit, was für ein tolles Auto er sich kaufen würde.

Ich reichte Sophie den Kaffee ohne Einlage. Mike gab ich die Tasse mit den Schnecken.

»Danke, Kleines«, sagte Mike, ohne mich eines Blickes zu würdigen.

Im Türrahmen blieb ich stehen, um zuzusehen. Sophie nippte an ihrem Kaffee.

Mach schon, Mike, flehte ich schweigend. *Trink ihn … nun trink schon …*

»Also, sobald ich genug Geld beisammen habe, will ich mir einen alten Mustang kaufen«, sagte Mike.

Sophie nickte. »Diese Autos finde ich auch cool.«

Trink ihn. Bitte trink ihn!, flehte ich, die Augen auf die Tasse geheftet.

Endlich griff Mike nach der Kaffeetasse.

Ich hielt den Atem an.

Mach schon. Mike. Nimm einen grooooßen Schluck!

Der Augenblick der Rache war gekommen. Endlich.

5

Er hob die Tasse langsam an die Lippen. Mir kam es so vor, als würde die Bewegung eine Ewigkeit dauern.

Ich rührte mich nicht. Blinzelte nicht. Atmete nicht.

In diesem Moment platzte Mom ins Zimmer. Sie hustete und hielt sich den Hals.

»Mom...?«, rief ich.

»Mir ist etwas in den Hals geraten«, würgte sie hervor. »Gib mir schnell was zu trinken.«

Sie nahm Mike die Tasse aus der Hand und trank einen großen Schluck.

Ich hob erschrocken die Hände ans Gesicht.

»So, jetzt ist es schon besser«, sagte Mom. »Ich habe

ein paar Chips gegessen und...« Sie nahm noch einen Schluck von Mikes Kaffee.

Und da änderte sich ihre Miene schlagartig.

Mike und Sophie schrien beide auf, als sie die Schnecke zwischen Moms Lippen sahen.

Entsetzt stöhnte Mom auf. Ihr Mund war verzerrt.

Die Schnecke rutschte ihr übers Kinn hinab.

Mom verzog angewidert das Gesicht. Sie nahm mit spitzen Fingern die Schnecke aus ihrem Gesicht und starrte sie schockiert an.

Dann sah ich, wie ihr Blick zur Tasse wanderte. Eine weitere Schnecke hing über dem Tassenrand.

Mom stieß einen erstickten Schrei aus. Die Tasse fiel ihr aus der Hand und landete auf dem Teppich.

»Vera hat den Kaffee gemacht!«, verkündete Mike. Er wandte sich mir mit anklagender Miene zu.

Mom schaute mich mit aufgerissenem Mund an.

»D-das glaub ich einfach nicht!«, stotterte Mike. »Vera hat versucht mich zu vergiften! Sie hat mir Schnecken in die Tasse getan!«

Moms Gesichtsausdruck wurde wütend. Ihr normalerweise blasses Gesicht verdunkelte sich. »Vera...!«, fauchte sie. »Ich sag's dir das letzte Mal im Guten. Du musst endlich damit aufhören, deinen Bruder zu triezen!«

Jetzt blieb mir nichts anderes mehr übrig. Ich musste zu DIE RACHE IST UNSER. So bald wie möglich.

Carl kam am darauf folgenden Nachmittag nach Hause. Ich rief ihn an und erzählte ihm die ganze Geschichte. Er hatte keine Lust, mit mir zum anderen Ende der Stadt zu fahren. Aber ich ließ ihm keine Wahl.

Nach dem Abendessen wartete ich vor der Haustür auf ihn. Es war ein schwüler, warmer Abend, die Luft war schwer und feucht. Der Mond stand als bleiche Scheibe über den Bäumen.

Ich schob mein Fahrrad in die Einfahrt, sodass ich startklar wäre, sobald Carl auftauchte.

Hinter mir öffnete sich die Haustür. Mike und Sophie traten heraus. Sophie war zum Abendessen geblieben.

Mike klimperte mit Dads Autoschlüsseln. »Ich bringe dich nach Hause«, sagte er. »Falls es dir nichts ausmacht, im ollen Wagen meines Vaters zu fahren.«

Sophie lachte und meinte, das sei ihr egal. Sie gingen an mir vorbei, als wäre ich gar nicht vorhanden, und stiegen ins Auto. Ich sah ihnen dabei zu.

»DIE RACHE IST UNSER«, murmelte ich vor mich hin. »Nicht mehr lange und das Grinsen wird dir vergehen, Mike.«

Er ließ den Wagen an. Sofort plärrte das Radio los. Dann setzte er in der Einfahrt zurück.

»Neeiin!« Ich sprang auf. »Mike – stopp!«, schrie ich.

Vermutlich konnte er mich wegen des Radios nicht hören. Entsetzt schaute ich zu, wie er rückwärts über mein Fahrrad rollte!

Ich hielt mir die Ohren zu, um nicht das schreckliche metallene Knacken und Knirschen hören zu müssen.

»Mike! Stopp! Halt an!«, brüllte ich.

Doch er brauste davon.

Mit klopfendem Herzen lief ich zu meinem Rad. Es war total zermatscht. Verdreht wie eine Brezel.

»Jetzt reicht's!«, sagte ich mir. »Das bringt das Fass zum Überlaufen.«

Einen Moment später tauchte Carl auf seinem Fahrrad auf. Er hat ein rundes Gesicht, rote Pausbacken und kurzes blondes Haar. Er nahm seine Brille ab und putzte sie mit seinem T-Shirt, dann setzte er sie wieder auf.

»Ist das dein Rad?«, fragte er und deutete darauf.

Ich nickte.

»Mike?«, fragte er.

Ich nickte wieder.

Ich holte mir Moms Fahrrad aus der Garage und wir strampelten los.

»Wo ist dieser Laden?«, fragte Carl.

»In der Flamingo Road«, antwortete ich, während ich einen anderen Gang einlegte, weil wir bergauf fuhren.

»Bist du schon mal in der Flamingo Road gewesen?«, erkundigte sich Carl.

»Nein. Aber ich habe auf dem Stadtplan nachgesehen. Sie liegt bei den Bahngleisen.«

»Allerdings. In Rickey Flats. Dem Wohnwagenpark.«

»Und?«

»Und?«, wiederholte Carl. »Das ist nicht gerade die beste Gegend.«

»Du hast doch nicht etwa Schiss – oder?«, hänselte ich ihn.

Ich erwartete, dass er »natürlich nicht« sagte. Doch stattdessen sagte er: »Doch. Ein bisschen schon.«

»Ich auch«, gestand ich ihm.

6

Wir radelten quer durch die Stadt. Es war drückend heiß und absolut windstill. Sogar das Atmen fiel uns schwer. Das T-Shirt klebte mir schweißnass am Rücken.

Am anderen Ende der Stadt begegneten uns weniger Autos. Die Häuser waren hier kleiner und standen dichter aneinander.

Wir kamen an einer Reihe leer stehender Wohnblocks vorbei. Dann an einem brachliegenden Grundstück, das mit Müll übersät war.

Die Straße wand sich und wurde zu einem Schotterweg. Unsere Reifen knirschten geräuschvoll im Kies.

»Sind wir noch auf dem richtigen Weg?«, fragte Carl.

»Ich ... glaube schon«, antwortete ich. Ich strich mir

die Ponyfransen zurück. Sie waren ebenfalls feucht von Schweiß.

Zwei abgemagerte Hunde zerrten irgendetwas aus einer umgestürzten Mülltonne. In der Ferne heulte eine Polizeisirene.

Plötzlich endete die Straßenbeleuchtung. Wir fuhren in die Dunkelheit hinein.

Hinter uns quietschten Autoreifen und dann hörte man eilige Schritte im Kies. Es schienen mehrere Leute zu sein.

Ein Tier heulte ganz in der Nähe, es war ein lang gezogenes, klagendes Jaulen. In einem der niedrigen dunklen Häuser lachte ein Mann.

»Das – das gefällt mir gar nicht«, stotterte ich.

»Bist du sicher, dass wir noch richtig sind?«, fragte Carl mit kläglicher Stimme.

Ich schluckte. »Nein, sicher bin ich mir nicht.«

Ich bremste ab und stellte die Füße auf die Erde. Wir waren neben einem hohen Metallzaun stehen geblieben.

Ein übler Geruch stieg mir in die Nase. Nach Fisch, der gekocht wurde. Nach Abfall. Nach faulen Eiern …

»Kannst du das Schild dort lesen?« Mit zusammengekniffenen Augen blickte Carl durch seine Brille auf ein Metallschild am Zaun.

Ich schob mich näher heran. »Rickey Flats. Wir sind da.«

Wir stiegen von den Rädern und gingen den hohen Zaun entlang, bis wir ein Tor fanden. Es öffnete sich knirschend und quietschend.

Wir betraten den Wohnwagenpark, in dem lauter heruntergekommene Wohnwagen und Wohnmobile in Reihen standen.

Zu jedem Wohnwagen gehörte ein winziges Stück Garten mit braunem Gras. In einigen der Gärten häufte sich Müll – ein verrostetes Auto, stapelweise Kartons, Gartenzwerge.

In vielen Wohnwagen brannte Licht. Es roch nach Essen, das gerade gekocht wurde. Irgendwo weinte ein Baby und eine Frau zeterte. Sie schrie etwas in einer Sprache, die ich nicht verstand.

Wir schoben die Räder langsam durch den Park, bis wir auf die Flamingo Road stießen.

Carl wies mit einer Kopfbewegung auf eine alte Frau, die auf der winzigen Veranda eines Wohnwagens saß. Sie grinste uns an und winkte uns. »Wollt ihr einen Hahn kaufen?«, rief sie.

»Nein, danke«, rief ich zurück, überrascht über meine schwache, bebende Stimme.

Ich habe Angst, stellte ich fest.

Vielleicht hätten wir besser doch nicht hierher kommen sollen.

Ein Schauer lief mir den Rücken hinunter.

Endlich kamen wir bei Nummer 45 an.

Rote und grüne Weihnachtslämpchen blinkten über dem Wohnwagen, obwohl es Juli war. Im schwachen Licht konnte ich erkennen, dass der Wagen in hellem Violett gestrichen war.

Die Augen hinter den Brillengläsern zusammengekniffen, wandte sich Carl an mich. Sein Gesicht färbte sich im flackernden Licht der Birnchen rot, grün, rot, grün. »Bist du dir sicher, dass du es durchziehen willst?«, fragte er.

Ich zögerte.

Es wäre ein Leichtes gewesen, kehrtzumachen und nach Hause zu fahren. Doch da stellte ich mir vor, wie Mike in meinem Zimmer herumschlich, meine Sachen klaute und mein Tagebuch an sich nahm. Wie er mit dem Auto rückwärts über mein Fahrrad fuhr und mir mein Leben Tag für Tag auf jede mögliche Weise verdarb.

Er war mein Feind.

»Ja, ich bin mir sicher«, erklärte ich Carl.

Wir stellten die Räder ab und klopften an die Tür.

Wir warteten einige Sekunden lang, ohne dass sich etwas rührte.

Dann ertönte aus dem Wohnwagen ein grauenhafter, unmenschlicher Schrei.

7

Ich fasste nach Carls Hand.

Aaaahhh! Noch ein schrecklicher Schrei.

»Was war das?«, flüsterte ich.

Carl wischte sich eine Schweißperle von der Stirn. »Hat da jemand geschrien?«

Die Tür schwang auf. Eine kleine Frau, ganz in Violett gekleidet, erschien in der Türöffnung. Sie hatte langes, strähniges schwarzes Haar, das ihr über die Schultern fiel. Ihre Lippen waren schwarz bemalt und schienen förmlich aus ihrem bleichen Gesicht hervorzuspringen.

Eine schwarze Krähe hockte auf ihrer Schulter.

»*Aaahhh!*«, kreischte die Krähe.

Wieso schrie sie so? Versuchte der Vogel uns zu warnen und zu verscheuchen?

Immer mit der Ruhe, Vera, schalt ich mich selbst. Lass deine Fantasie nicht mit dir durchgehen. Es ist nur ein Vogel.

War er wirklich nur ein Vogel? Wieso hatte er seine runden schwarzen Augen so unverwandt auf mich gerichtet?

»Kommt rein«, sagte die Frau sanft. Sie trat zurück, damit Carl und ich eintreten konnten.

Sie führte uns in einen kleinen dunklen Raum. Ich

warf einen Blick zurück, als sie die Tür hinter uns schloss.

Nun sitzen wir hier in der *Falle*, dachte ich.

Ich holte tief Luft und hielt den Atem an. Beruhig dich, Vera. Beruhige dich.

»Gewöhnlich bekomme ich nicht so spät Besucher«, meinte die Frau. Ihre schwarz bemalten Lippen verzogen sich zu einem Lächeln. »Habt ihr meine Anzeige gelesen?«

Ich nickte und räusperte mich. »Ja. Ich…«

Die Frau klatschte in die Hände. »Kunden! Großartig! Setzt euch doch.«

Wir nahmen im Wohnzimmerbereich auf Sesseln Platz, die mit violettem Stoff bezogen waren. An der Wand stand ein kleiner Fernseher und darüber hing ein großer Vogelkäfig.

Auf einer Kommode neben dem Fernseher entdeckte ich einen Schädel. Einen menschlichen Totenkopf.

Mir klappte die Kinnlade herunter. »Ist der echt?«

Ihr Lächeln blieb unverändert. »Wahrscheinlich.«

Sie nahm die Krähe von der Schulter und tätschelte sie. Ihre schwarzen Auen glänzten in ihrem bleichen Gesicht wie dunkle Kohlen.

»Mein Name ist Iris«, sagte sie, während sie der Krähe über den Rücken strich. »Und das ist Maggie.«

Carl und ich stellten uns ebenfalls vor.

»Sag Hallo, Maggie«, wies Iris die Krähe an.

165

Maggie legte den Kopf zur Seite und starrte uns mit kaltem Blick an.

»Oje«, seufzte Iris. »Maggie ist heute ein böses Mädchen, stimmt's Maggie?«

Die Krähe schlug mit den Flügeln.

Ein kalter Schauer lief mir den Rücken hinunter. Diese Krähe wirkte so seltsam *menschlich* und *böse*. Ich schielte zu Carl. Fiel es ihm ebenfalls auf?

»Ihr beide wollt Rache nehmen?«, fragte Iris, während sie weiter die Krähe streichelte.

»Nein«, erwiderte ich. »Nur ich.«

Iris' Augen leuchteten auf. »Rache an deinen Eltern?«

»Was? Nein. An meinem Bruder«, sagte ich.

Iris setzte die Krähe auf den Tisch und beugte sich zu mir. Ihre Augen bohrten sich in meine. »Erzähl mir, wieso du Hilfe brauchst.«

Ich erzählte ihr von Mike und all den schrecklichen Dingen, die er mir angetan hatte. Ich war so nervös, dass meine Stimme bebte und ich einige Dinge auf meiner Liste vergaß. Zum Glück ergänzte Carl alles, was mir entfallen war.

Als ich fertig war, schaute Iris mich lange unverwandt an. »An was für eine Art Rache hattest du gedacht?«, fragte sie schließlich.

Ich sah sie an. Der Vogel krächzte leise und klickte mit dem Schnabel.

Das ist doch alles nicht real, dachte ich. Das kann nur

ein Scherz sein. Ein Gag oder so etwas. Iris tut nur so. Sie kann es nicht ernst meinen.

»Können Sie wirklich Rache für andere Leute nehmen?«, platzte ich heraus.

Sie nickte feierlich, ohne mich auch nur einen Moment aus den Augen zu lassen. »Maggie und ich haben besondere Kräfte«, antwortete sie im Flüsterton.

Ist sie eine böse Hexe?, fragte ich mich. Habe ich einen schrecklichen Fehler gemacht?

»Ihr Bruder blamiert sie ständig«, begann Carl die Frage der Frau zu beantworten. »Deswegen möchte Vera ihn auch einmal richtig bloßstellen.«

»Mehr als das«, sagte ich. »Ich will ihn bis auf die Knochen blamieren. Ich will ihn *niedermachen*. Ich will, dass er sich wie ein Wurm fühlt. Ich will ihm eine Lektion erteilen, die dafür sorgt, dass er nie wieder gemein zu mir ist.«

Ich holte Luft. »Er kommt im Herbst in die zwölfte Klasse«, fuhr ich fort. »Ich will, dass dieses Schuljahr eine *totale Katastrophe* für ihn wird.«

»Mmm-hmm.« Iris rieb sich mit ihren langen Fingern, deren Nägel schwarz lackiert waren, das Kinn.

Carl rutschte nervös in seinem Sessel hin und her und wippte mit dem Fuß.

Iris sprach: »Was bist du bereit, für diese Rache zu bezahlen?«

»Bezahlen?«, fragte ich.

»Ja«, sagte Iris. »Wenn du deine Rache bekommst, was gibst du mir dann als Gegenleistung?«

Ich schauderte.

Plötzlich wurde mir klar, was hier gespielt wurde.

Ich hatte Filme darüber gesehen und Geschichten gelesen. Horrorgeschichten.

»Sie – Sie sammeln *Seelen*, stimmt's?«, stotterte ich. »Sie gewähren mir einen Wunsch – im Austausch gegen meine Seele!«

8

Iris warf den Kopf zurück und lachte. »Du siehst zu viel fern«, sagte sie. »Von Seelen verstehe ich nichts. Ich versuche hier nur ein Geschäft auf die Beine zu stellen. Würde ich mit Seelen bezahlt werden, dann würde ich verhungern!«

Ich blickte sie verständnislos an. Ich war so durcheinander, dass ich kaum noch klar denken konnte.

Carl beugte sich zu mir und flüsterte: »Vera, ich schätze, sie spricht von Geld.«

»Geld?«, rief ich. »Aber ich *habe* kein Geld.«

Iris verdrehte die Augen. Sie setzte sich die Krähe wieder auf die Hand. »Da hab ich ja mal wieder richtig

Glück, Maggie. Endlich habe ich eine Kundin und dann hat sie kein Geld. Was wollen wir jetzt tun?«

Sie seufzte. »Na gut, ich werde dir was sagen, Vera. Ich gebe dir eine kostenlose Kostprobe.«

»Danke!«, rief ich.

Iris kniff die Augen zusammen. »Später lasse ich mir vielleicht etwas einfallen, womit du dich revanchieren kannst.«

»Was zum Beispiel?«, fragte ich, während ich spürte, wie sich mein Hals zuschnürte.

Sie schüttelte den Kopf. »Später. Ich werde mir etwas einfallen lassen.«

Sie strich sich das lange schwarze Haar über die Schultern zurück. »Abgemacht?«

Ich schluckte. »Ich… ich schätze, ja.«

Iris gab mir die Hand. Ihre langen schwarzen Fingernägel kratzten über meine Handfläche. Ihre Hand war weich und feucht.

»Also… Rache an deinem Bruder Mike«, sagte sie und schloss die Augen. »Lass mich überlegen…« Sie versank einen kurzen Moment in Schweigen.

»Aha. Ich habe da eine hervorragende Idee. *Die* Idee.«

Sie bewegte tonlos die Lippen und strich der Krähe gleichzeitig über den Rücken, einmal, zweimal… dreimal.

Ihre Augen öffneten sich mit einem Ruck. »Gut. Das wäre erledigt.«

»Was? Was haben Sie getan?«, wollte ich wissen.

»Eine nette kleine Rache. Dein Bruder wird einen schrecklichen Unfall haben – und er wird sich nie wieder davon erholen.«

»Neeeiiin!«, heulte ich. »Nein. Nein – *bitte*! Das ist zu viel! Das ist nicht, was ich wollte! Nehmen Sie es zurück! Nehmen Sie es zurück!«

»Tut mir Leid«, sagte Iris kalt. »Dafür ist es zu spät.«

9

»Das ist ja *schrecklich*!«, rief Carl.

Ich sprang auf. »Nehmen Sie es zurück!«, schrie ich Iris an. »Das können Sie Mike doch nicht antun! Nehmen Sie es sofort zurück!«

Ich raufte mir mit beiden Händen das Haar und stieß einen verzweifelten Schrei aus. »Was habe ich getan? O nein! Was habe ich da nur angestellt?«

Iris schüttelte den Kopf, sodass ihr das Haar ins Gesicht fiel. »Ich fürchte, sobald so ein Fluch einmal ausgesprochen ist...«

Sie strich sich das Haar zurück. Ihr Mund öffnete sich zu einem großen O. »Oh, warte. Keine Panik! Ich habe etwas vergessen! Ich habe einen Schritt ausgelassen.«

Ich stieß einen langen Seufzer aus. »Sie meinen – der Fluch wirkt nicht?«

»Nein«, antwortete Iris. »Ich habe versehentlich etwas weggelassen. Es ist schließlich *deine* Rache. Das bedeutet, dass du Maggie ebenfalls dreimal über den Rücken streichen musst.«

»Also ist mit Mike alles in Ordnung?«, wollte ich wissen. »Er wird keinen Unfall haben?«

»Unfall? Nein. Nicht, solange du ihn dir nicht wünschst.«

Iris hielt Maggie auf dem ausgestreckten Arm. »Es gibt so viele Regeln im Umgang mit dieser Krähe«, sagte sie. »So viele Regeln. Hier. Du musst an deine Rache denken und Maggie dreimal über den Rücken streichen, dann erfüllt sich deine Rache.«

»Gott sei Dank«, atmete ich auf. Ich wollte Mike zwar leiden lassen, ihm aber nicht ernsthaft etwas antun.

»Komm schon«, drängte Iris. »Entscheide dich, wie du dich rächen willst. Ich habe nicht den ganzen Tag Zeit.«

Carl und ich drängten uns um die Krähe. »Was wollen wir tun?«, fragte ich Carl. »Es muss hart sein, aber nicht *zu* hart.«

Carl legte das Gesicht in Falten und dachte angestrengt nach. Dabei kratzte er sich im Nacken.

»Wieso kratzt du dich so?«, wollte ich wissen.

171

Er schnitt mir eine Grimasse. »Weil es mich juckt.«

»Das ist es!«, verkündete Iris. »Das ist perfekt!«

»Was?« Carl und ich glotzten sie an.

»Wir verpassen deinem Bruder einen Juckreiz«, verkündete Iris mit leuchtenden Augen.

Ich schüttelte den Kopf. »Einen Juckreiz? Was soll das denn für eine Rache sein?«

Iris beugte sich zu mir. »Ein Juckreiz, der nicht mehr weggeht«, sagte sie leise. »Ein Juckreiz, der schlimmer wird, je mehr er sich kratzt. Ein Juckreiz, der sich weiter und weiter ausbreitet – bis es ihn am ganzen Körper juckt. Seine Zähne werden jucken. Seine Augäpfel werden jucken und sogar seine Zunge. Und er kann den Juckreiz nicht stoppen!«

»Na ja …« Ich zögerte.

»Er kann nichts dagegen tun«, fuhr Iris aufgeregt fort. »Er wird nirgends mehr hingehen können. Er wird nur noch zu Hause bleiben und sich kratzen – bis er sich die ganze Haut abgekratzt hat!«

»Klingt gut«, sagte ich.

»Cool«, pflichtete Carl mir bei.

Iris schloss die Augen und strich Maggie, die noch immer auf ihrer Hand saß, dreimal über den Rücken.

»Nun bist du dran«, sagte sie und hielt mir den Vogel entgegen.

Ich streckte die Hand nach Maggie aus, hielt dann aber inne. »Und das kostet wirklich nichts?«, fragte ich.

Iris runzelte die Stirn. »Mach dir darüber keine Sorgen.«

Was sollte das bedeuten? War das irgendein Trick?

Aber es war mir egal. Ich wollte Rache an Mike nehmen.

Ich schloss die Augen und sprach im Stillen meinen Wunsch aus. Dann strich ich mit der Hand über die Krähe, einmal, zweimal... dreimal.

10

Carl und ich strampelten auf unseren Rädern, so schnell wir konnten, nach Hause. Dort angekommen, stürmte ich atemlos ins Wohnzimmer und sah mich nach Mike um. Dad saß in einem Sessel und las einen Gruselroman.

»Vera, wo bist du gewesen?«, wollte er wissen, während er das Buch zuklappte.

»Ich ... ich habe mir Moms Fahrrad ausgeliehen«, stotterte ich, nach Atem ringend. »Carl und ich – wir haben eine lange Fahrradtour gemacht.«

Dad schaute mich streng an. »Mit dem Fahrrad deiner Mutter? Was ist denn mit *deinem* Rad passiert?«

»Mike ist darüber gefahren!«, rief ich aufgebracht.

»Er ist rückwärts mit dem Wagen darüber gerollt. Es ist völlig im Eimer!«

Dad machte »Tss-tss« und schüttelte den Kopf. Ich erwartete, dass er sagte: »Dafür muss Mike bestraft werden.«

Doch stattdessen murmelte er: »Das hat er sicher nicht mit Absicht gemacht. Du solltest dein Fahrrad nicht in der Einfahrt herumliegen lassen, Vera!«

»*Aaaaagggh!*« Am liebsten wäre ich Dad an die Gurgel gegangen.

Doch da kam Mom ins Zimmer. »Da bist du ja!«, sagte sie und lächelte mich an. »Es gibt jetzt Nachtisch. Wer möchte was? Wir sind nach dem Essen einfach alle aufgestanden, bevor es Nachtisch gab.«

Mike kam die Treppe heruntergetrampelt und wir gingen alle vier ins Esszimmer. Mom schnitt den Schokoladenkuchen auf, den sie gekauft hatte. Dad verteilte dazu Vanilleeis.

»Ist dir eigentlich klar, dass du rückwärts über mein Rad gefahren bist?«, wandte ich mich ärgerlich an Mike.

Mike nahm Dad den Eisportionierer ab und löffelte sich zwei zusätzliche Eiskugeln auf den Teller. »Diese Schrottmühle?«, erwiderte er. »Ich hoffe, die Autoreifen sind dadurch nicht beschädigt.«

»Können wir uns zur Abwechslung mal über etwas Netteres unterhalten?«, fragte Mom. Sie funkelte mich an. Dann lächelte sie Mike an. »Es ist so ein seltenes Vergnügen, dich abends einmal zu Hause zu haben.«

»Klar«, maulte ich. »Er ist ständig mit seinen doofen Freunden auf Achse und handelt sich überall nur Ärger ein.«

»Zumindest habe *ich* Freunde!«, fauchte Mike zurück.

»Bitte, gib doch endlich einmal Ruhe, Vera«, stöhnte Mom.

Ich? Wieso kritisierte sie immer nur mich?

Mike begann über den Mustang zu schwafeln, den er sich kaufen wollte. Er bat Mom und Dad wohl zum hundersten Mal, ihm Geld zu leihen, damit er sich den Wagen rechtzeitig zum Sommer kaufen konnte.

Ich bekam ihre Antwort gar nicht mit. Ich hatte alles ausgeblendet.

Ich beobachtete Mike. Und wartete.

Wartete darauf, dass der Juckreiz begann. Wartete darauf zu sehen, wie er sich kratzte … und kratzte … und kratzte, bis er sich vor Qualen wand und blutig war.

Er schob sich das letzte Stück Kuchen in den Mund. Dann rülpste er laut.

Mom und Dad lachten. Sie finden einfach alles, was er macht, klasse.

Fang an, dich zu kratzen, flehte ich im Stillen. *Komm schon, Mike. Kratz dich.*

Ungeduldig trommelte er mit den Fingern auf den

Tisch, während wir Übrigen unsere Nachspeise aufaßen. Er wirkte ausgesprochen ruhelos.

Aber juckte es ihn? Nein.

Ich ließ ihn nicht aus den Augen. Ich wollte keinesfalls den Moment verpassen, wenn es losging. Ich wollte jeden einzelnen Augenblick meiner Rache miterleben und auskosten.

»Möchte noch jemand Eis?«, fragte Dad und winkte mit dem Portionierer.

Mike nahm seine Gabel in die Hand.

Jetzt fängt er gleich an sich zu kratzen, dachte ich.

Jetzt geht's zur Sache. Das Große Jucken hat begonnen.

Aber nein. Mike klopfte nervös mit der Gabel auf den Tisch. Dann streckte er seinen Arm über den Tisch aus und fing an, mir mit der Gabel auf den Kopf zu klopfen.

»Lass das«, fauchte ich und schlug seine Hand weg.

Schnell spießte er die Gabel in meinen Schokoladenkuchen und mopste sich ein Stück vom Schokoguss. Er stopfte es sich rasch in den Mund.

Wieder lachten Mom und Dad.

Doch das war mir egal. Schließlich würde ich zuletzt lachen – schon sehr bald.

Aber wann? Wann?

Wieso hatte der Juckreiz noch nicht eingesetzt?

Schließlich hielt ich es nicht mehr länger aus. »Mike«, fragte ich, »fühlst du dich irgendwie sonderbar?«

»Nicht so sonderbar, wie du aussiehst!«, gab er zurück. Er schnappte sich das letzte Stückchen Schokoguss von meinem Teller. Dann verschwand er rasch nach oben in sein Zimmer.

Ich hätte Iris fragen sollen, wie lange es dauert, bis der Fluch wirkt, überlegte ich.

Ich schaltete die Lampe neben dem Bett aus und kroch unter die Decke. Silbernes Mondlicht fiel schimmernd auf die Vorhänge am Fenster. Die Bäume warfen von draußen unruhige Schatten auf die Wände.

Wahrscheinlich wird der Juckreiz bei Mike morgen früh einsetzen, sagte ich mir. Wahrscheinlich hat Iris den Beginn des Fluches für morgen festgelegt.

Ich gähnte. Von der langen Radtour taten mir die Beine weh. Ich fiel rasch in den Schlaf. Einen tiefen, traumlosen Schlaf.

Das Zimmer war noch immer dunkel, als ich aufwachte. Blinzelnd guckte ich auf den Radiowecker. Viertel nach fünf Uhr morgens.

Was hatte mich aufgeweckt?

Mein Rücken prickelte. Es fühlte sich wie kleine Stiche an.

Ich versuchte mich zu kratzen. Doch das Prickeln war an einer Stelle, die ich nicht erreichen konnte.

Also rieb ich mich mit dem Rücken an der Matratze. Doch das schien nicht zu helfen.

Meine Haut kribbelte und brannte. Das Kribbeln breitete sich rasch aus.

Ich griff nach hinten und kratzte mich mit beiden Händen.

Mittlerweile prickelte mein ganzer Körper.

Nein. Das war kein Prickeln. Es juckte.

Ich setzte mich auf und rieb mich mit dem Rücken am hölzernen Kopfende.

»O neeeiiin«, stöhnte ich. »O neeeiin.«

Ich hatte den Juckreiz – und er breitete sich geschwind aus!

11

Ich rieb meine Seiten. Die Arme. Die Knie.

Ich bemühte mich, nicht zu kratzen. Doch Reiben alleine half nichts.

»Ohhhhh.« Voller Qual stöhnend, konnte ich mich nicht mehr länger zurückhalten und fing zu kratzen an.

Anfangs kratzte ich ganz leicht. Doch das half nichts.

Meine Haut kribbelte weiter unerträglich. Also kratzte ich fester.

Kalte Schauer liefen mir über den Körper rauf und runter. Ich schüttelte mich und zitterte.

Und die ganze Zeit kratzte ich mich so wild wie ein Hund, der Flöhe hat.

»Hilllffe«, murmelte ich. »Ich brauche… Hilfe.«

Ich taumelte ins Badezimmer und schlug die Tür hinter mir zu.

Mein Nacken prickelte und juckte. Es fühlte sich so an, als ob tausende und abertausende von Insekten überall auf meinem Körper herumkröchen, meine Haut vollständig bedeckten, mich kniffen und bissen.

Verzweifelt begann ich unser Medikamentenschränkchen zu durchwühlen. Da muss doch irgendetwas drin sein, was das Jucken stoppt, dachte ich.

Ich fand eine rosa Lotion, die man nach dem Kontakt mit Giftsumach aufträgt. Mit zitternden Händen schmierte ich sie mir auf Schultern und Arme.

Dann betete ich, dass sie wirken würde.

Ich kratzte mich an den Beinen. Meine Zehen juckten. Die Knie juckten. Die rosa Salbe half kein bisschen. Nun juckte es nicht nur, ich war auch überall klebrig! Vielleicht hilft ein heißes Bad, sagte ich mir.

Ich ließ Wasser in die Badewanne laufen und zog mein Nachthemd aus. Ich verrenkte mich fast, als ich versuchte, mich am Rücken und an den Schulterblättern zu kratzen. Und nun fingen auch noch meine Zähne an zu prickeln!

Ich legte mich in die Wanne und ließ das heiße Wasser laufen, bis ich vollständig damit bedeckt war.

Bitte... bitte...

Nein. Es half nichts.

Nun juckte es mich sogar in den Ohren!

Auch meine Augen juckten. Ich rieb sie so lange, bis meine Lider brannten.

Raus aus der Badewanne! Ich musste etwas anderes probieren.

Meine Zähne klapperten und ich zitterte am ganzen Leib.

Ich brauche unbedingt Hilfe. Ich muss zurück zu Iris.

Ich taumelte zurück in mein Zimmer. Bückte mich, um mich an den Beinen zu kratzen.

O nein! Dünne Fäden hellrotes Blut liefen mir die Beine hinab. Ich hatte mir die Haut abgekratzt!

Sollte ich es Mom und Dad sagen? Nein. Sie würden mir doch nicht glauben. Und helfen könnten sie mir auch nicht.

Ich musste zurück zu Iris.

Heftig bebend zog ich mir eine Jeans und ein Oberteil an. Dabei gab ich mir alle Mühe, nicht zu kratzen. Mein ganzer Körper pochte vor Schmerz.

Noch nicht ganz sechs Uhr morgens. Draußen war es noch grau. Aber ich scherte mich nicht darum. Ich schnappte mir das Telefon und tippte Carls Nummer ein.

Schlaftrunken antwortete er nach dem vierten Klingeln: »Hallo?«

»Mwwwwammmmm«, stieß ich hervor.

O nein! Nein! Das kann doch nicht wahr sein!

»Wer ist da?«, wollte Carl ärgerlich wisen.

»Mwwwww!«, stöhnte ich. »Mwwwammmmm.«

»Wer immer du auch bist, das ist nicht witzig!«, blaffte Carl. »Du hast mich aufgeweckt!«

»Mwwwwww?«, rief ich.

Die Leitung war tot.

»Mwwwwwumm.«

Ich kann nicht mehr reden, stellte ich fest. Meine Zunge juckt entsetzlich, sie sticht und prickelt. Sie fühlt sich an, als wäre sie eingeschlafen. Meine Zunge *bewegt* sich nicht!

Mir kam es so vor, als wäre mein ganzer Körper eingeschlafen!

Ich halte das nicht mehr aus!

Au! Au! Au!

Wieder kratzte ich mich überall. Meine Haut war schon offen und wund.

Dann bürstete ich mir hektisch das Haar, um das Jucken an den *Haarwurzeln* zu stoppen. Das Jucken der Kopfhaut… und das in den Ohren…

Würde ich es auf Moms Fahrrad durch die ganze Stadt bis zu Iris' Wohnwagen schaffen?

Wenn ich richtig schnell fuhr, würde ich den Juckreiz vielleicht nicht mehr so bemerken, sagte ich mir.

Ich zog mich fertig an. Als ich mit den schmerzenden

Füßen in meine Schuhe schlüpfen musste, schrie ich fast auf.

Meine Haut ... meine Haut ... sie brannte ... brannte ...

Mir blieb gar keine Wahl. Ich musste es versuchen.

Aber würde es mir gelingen, Iris in dem Durcheinander von Wohnwagen und Wohnmobilen wieder zu finden? Wie war gleich noch mal die Adresse gewesen?

Die Anzeige aus der Zeitschrift. Die Adresse stand in der Anzeige.

Während ich mich an der Schulter kratzte, suchte ich auf der Kommode verzweifelt nach der Anzeige. Sie war nicht da.

Wo war die Anzeige abgeblieben?

Vielleicht in den Taschen meiner Jeans? Meine Hände schmerzten, als ich in den Hosentaschen suchte.

Da war sie auch nicht.

Wo war die Anzeige? Wo war sie hin verschwunden? Wie sollte ich Iris je wieder finden?

12

Ich überlegte fieberhaft, was zu tun war. Ich musste zu Iris – und zwar schnell.

Aber ich konnte nicht sprechen. Ich konnte kaum

noch gehen, weil es mich überall juckte. So stark, dass es wehtat.

Der Schmerz machte sogar das Atmen zur Qual. Selbst in meiner Nase juckte es!

Vergiss die Adresse, sagte ich mir. Ich werde den Wohnwagen schon wieder finden. Ich *muss* ihn finden!

Ich stolperte aus dem Haus und holte Moms Fahrrad aus der Garage. Würde ich überhaupt fahren können? Meine Hände zitterten. Ich bebte am ganzen Leib. Ein Schauder nach dem anderen jagte mir den Rücken hinunter.

Keuchend hievte ich mich in den Sattel und zwang meine Beine, in die Pedale zu treten. Ich beugte mich nach vorn und umklammerte die Lenkstange, so fest ich konnte.

Ich hätte mich gern weiter gekratzt, aber da ich den Lenker festhielt, ging das nicht mehr.

Die Morgensonne war noch immer nicht aufgegangen. Tief hängende, schwere Wolken verdunkelten den Himmel.

Ich radelte durch den dichten, trüben Dunst. Quer durch die Stadt, vorbei an leeren, dunklen Läden. An den Bahngleisen entlang bis zum Wohnwagenpark.

Grau… alles war neblig und grau. Als wäre ich in einem nebulösen Traum.

Als ich den Wohnwagenpark fand, trat ich langsamer in die Pedale und fuhr an dem hohen Metallzaun entlang.

Mein Rücken juckte. Mein Bauch juckte. Meine Arme und Beine prickelten und schmerzten.

Vera, bloß nicht kratzen!, befahl ich mir selbst.

Meine Hände zitterten so heftig, dass ich mich mit der Schulter gegen das Tor stemmen musste, um es aufzudrücken. Ich ließ das Fahrrad neben dem Tor stehen und trabte an den Reihen von Wohnwagen entlang. Im Laufen vergrub ich die Hände in den Hosentaschen, um mich davon abzuhalten, mich ständig zu kratzen.

Wo ist er? Wo steht Iris' Wohnwagen?

In der Ferne grollte Donner. Über mir ballten sich Sturmwolken zusammen. Der Park war so duster, als wäre es Nacht.

Irgendwo in der Nähe bellte ein Hund. In einem rostigen Wohnwagen vor mir flackerte Licht. Ein Mann spähte heraus und zog dann rasch den Vorhang zu.

Alle Wohnwagen waren dunkel und grau.

Die ganze Welt wurde immer dunkler. Ich spürte, wie mir ein kalter Regentropfen auf die juckende Stirn platschte.

Ich wandte mich um und lief an einer anderen Wohnwagenreihe entlang.

Oje. Ich blieb stehen.

War ich hier nicht schon gewesen? Wieso kamen mir diese Wohnwagen alle so bekannt vor?

Ich fuhr herum. Ja, diese Wagenreihe hatte ich bereits

abgesucht. Aber aus welcher Richtung war ich gekommen?

Wieder drehte ich mich um. Wo war der Zaun, der das Gelände umgab? Wo war das Tor?

Ich habe mich verirrt, stellte ich fest.

Ich habe meinen Orientierungssinn verloren.

Ich schaute nach unten und sah, dass ich mich an den Armen kratzte, *ohne es überhaupt zu bemerken!*

Ich zwang die Hände zurück in die Hosentaschen. Dann lief ich wieder los und suchte mit den Augen die langen Reihen von Wohnwagen und Wohnmobilen ab.

Ich kann sie nicht finden, dämmerte es mir. *Ich habe mich total verirrt.*

Meine Augäpfel juckten jetzt ebenfalls. Der Juckreiz trieb mir das Wasser in die Augen. Tränen liefen mir übers prickelnde, brennende Gesicht. Ich konnte kaum etwas sehen.

Schwer atmend blieb ich stehen und lehnte mich gegen einen Wohnwagen.

Da vernahm ich ein *KRAAA KRAAAA.*

Maggie! Ja! Wie von Sinnen rannte ich los und folgte dem Krächzen der Krähe.

Ich stieß einen Freudenschrei aus, als der violette Wohnwagen in Sicht kam. Es war kein Licht an. Doch das kümmerte mich nicht. Ich lief zur Tür und hämmerte mit beiden Fäusten dagegen.

Endlich schwang die Tür auf und ich purzelte fast hinein.

»Huch?« Iris keuchte verdattert auf. Sie stand in einem weiten lila Morgenmantel vor mir. Das schwarze Haar fiel ihr zerzaust über die Schultern. »Was machst *du* denn hier?«, wollte sie wissen.

»Mwwwaaaamm!«, antwortete ich.

Meine Zunge juckte noch immer so stark, dass sie sich nicht bewegen ließ. Mein Gaumen juckte ebenfalls!

»Muuwwwwm. Muhhhhm?«

Iris glotzte mich an und hob die Hände ans Gesicht. Nachdenklich klopfte sie sich mit den langen schwarzen Fingernägeln an die Wangen.

»Maaawwwwm!«, kreischte ich drängend.

Ich konnte nicht anders. Ich musste mich kratzen. Verzweifelt rieb ich mir den Nacken. Die Arme.

»O nein!«, rief Iris. Sie packte meine Hände und zog sie zu sich heran. »Du hast den Juckreiz – stimmt's?«

Ich nickte. »Mwwwwwum.«

»Mein Fluch!«, rief sie aufgeregt. »Ich habe etwas falsch gemacht!« Sie schlug sich vor die Stirn.

»Mwwwwum maaawwm!«, schrie ich und gestikulierte wie wild.

»Das kann ich nicht!«, erklärte sie, während sie noch immer meine Hände festhielt. »Ich kann ihn nicht stoppen! Ich weiß nur, wie man ihn auslöst! Ich habe keine Ahnung, wie man ihn beendet!«

Unglücklich sank ich auf die Knie. Ich war vom Jucken und Kratzen vollkommen erschöpft.

Am anderen Ende des Raums krächzte die Krähe in ihrem Käfig.

Mühsam atmend hob ich den Arm und deutete auf den Käfig. »Mwaaaam! Maaawwm?«

Iris schaute mich mit zusammengekniffenen Augen an. Dann wandte sie sich dem Vogel zu.

»Wenn ich einen neuen Bann ausspreche, kann ich den alten damit vielleicht beenden!«, erklärte sie. »Wenn ich einen Bann ausspreche, der das *Gegenteil* bewirkt...«

»Maaaww!«, schrie ich völlig aus dem Häuschen. Ich schob sie mit beiden Händen in Richtung Vogelkäfig.

Beeil dich!, dachte ich. *Bitte – versuch es! Versuch es! Mach schnell!*

Zitternd stand ich da, während sie in den Käfig langte und Maggie herausholte.

Sie hielt sich die Krähe vors Gesicht und sprach im Flüsterton: «Weiche, glatte Haut. Gib Vera weiche, glatte Haut.«

Iris strich der Krähe dreimal über den Rücken.

Dann schob sie mir den Vogel hin. »Rasch, Vera – streich Maggie über den Rücken.«

Meine Hand zitterte so stark, dass ich Iris den Vogel beinahe von der Hand gestoßen hätte. Schließlich schaffte ich es doch, die Hand auf den Rücken der Krähe zu legen, und strich darüber, einmal, zweimal... dreimal.

Mein Körper kribbelte und pochte vor Schmerz, während ich die Krähe anstarrte. Und wartete.

Darauf wartete, dass eine Änderung eintrat.

Ich wartete... und wartete...

Doch nichts geschah.

13

Iris stand mit verschränkten Armen da und musterte mich.

»Es hat nicht funktioniert!«, rief ich.

Doch dann riss ich verblüfft die Augen auf. Ich hatte *gesprochen!*

»He...!«, rief ich aufgeregt. »Meine Zunge hat aufgehört zu jucken!«

Ich rieb meine Arme. Sie fühlten sich glatt und weich an. Ich fuhr mir mit den Händen durchs Haar. Es juckte nicht mehr.

»O wow!«, rief ich. Ich ließ mich auf die Couch fallen. Es fühlte sich so gut an, *nichts* zu fühlen!

»Puh.« Iris seufzte erleichtert. »Bin ich froh, dass es vorbei ist«, murmelte sie kopfschüttelnd.

Draußen vor dem Fenster zuckte ein gezackter Blitz über den düsteren Himmel.

»Vorbei?«, sagte ich.

Sie strich sich das lange Haar aus dem Gesicht. »Tut mir Leid, dass es nicht funktioniert hat.« Sie zuckte die Achseln. »Ich schätze, man bekommt, wofür man bezahlt.«

»Aber Sie schulden mir eine Rache!«, sagte ich nachdrücklich.

Ärgerlich verzog sie das Gesicht. »Ich soll dir was schulden? Du hast mir nichts bezahlt. Wie kann ich dir also etwas schulden?«

»Sie haben mir einen Racheakt versprochen!«, erklärte ich ihr, während ich auf die Füße sprang. Auf die schönen, glatten Füße, die nicht mehr juckten. »Sie haben es mir versprochen! Und stattdessen... stattdessen...!«

»Schon gut, schon gut. Krieg dich wieder ein.« Sie bedeutete mir, mich wieder auf die Couch zu setzen.

Doch ich folgte ihr zu einem winzigen Herd, wo sie Wasser in einen silbrigen Teekessel goss. »Sie schulden es mir«, wiederholte ich.

»Na gut, also schön.« Sie stellte den Kessel auf die Herdplatte. »Wir versuchen es noch einmal. Aber ich kann das nicht ständig umsonst machen. Irgendwann muss ich auch einmal etwas einnehmen.«

Ich hörte ihr gar nicht zu. Ich dachte schon angestrengt darüber nach, wie die Rache an meinem Bruder aussehen sollte.

Etwas Übles sollte es sein, so viel stand fest. Etwas Schlimmeres als ein Juckreiz.

»Was ist Mike wichtiger als alles andere?«, überlegte ich laut.

Mich zu tyrannisieren?

Ein Auto zu kaufen?

Dieses Mädchen, Sophie?

Sein Haar?

Ja! Sein Haar! Sophie und sein Haar!

»Mike hat morgen Abend eine Verabredung mit einem Mädchen namens Sophie«, erklärte ich Iris. »Er will unbedingt Eindruck bei ihr schinden. Bevor er sich mit ihr trifft, wird er bestimmt alle Klamotten anprobieren, die er besitzt, und Stunden mit seiner Frisur zubringen! Er kauft sich mehr Haarspray und Gel als meine Mutter!«

Iris wandte sich vom Herd ab. »Sein Haar, ja?« Sie streichelte Maggie. »Wieso stellen wir dann nicht etwas mit seinem Haar an? Vor Sophies Augen?«

»Das gefällt mir!«, rief ich begeistert. »Wir können dafür sorgen, dass es ihm ausfällt. Verstehen Sie? Büschel für Büschel – bis er kahl ist!«

Iris kicherte. »Ja, es muss ihm allmählich ausfallen. Und am Ende des Abends wird er eine Glatze haben.«

»Ja! Ja! Lassen Sie uns das machen!«, verkündete ich.

Iris schaute mich eindringlich an. »Bist du dir auch ganz sicher?«

»Ja!«

»Das ist deine letzte kostenlose Rache, verstanden?«

»Ja!«, stimmte ich zu. »Hauptsache, Sie tun es!«

Sie schloss die Augen und strich Maggie dreimal übers Gefieder.

»Du bist dran«, sagte sie.

Ich machte die Augen zu und stellte mir bildlich vor, wie Mike mit Sophie in einem Fast-Food-Lokal saß. Und ich malte mir aus, wie Mikes Haare überall auf dem Tisch, auf ihren Hamburgern und auf seinem Schoß lagen.

Kichernd strich ich mit den Händen über Maggies gefiederten Rücken.

»Das ist perfekt«, seufzte ich. »Endlich Rache!«

14

Am nächsten Abend sah ich Mike dabei zu, wie er sich fertig machte, um mit Sophie auszugehen. »Diese Jeans ist viel zu lang«, meinte ich. »Sie hängt dir über die Schuhe.«

»Na und?«, erwiderte er biestig. »Genau so gefällt es mir.« Er schüttelte den Kopf und schaute mich herablassend an. »Du bist echt völlig unterbelichtet.«

Er wandte sich wieder dem Spiegel zu und musterte ausgiebig sein Haar. Ich setzte mich auf den Rand der Badewanne und beobachtete ihn dabei.

»Schwirr ab«, knurrte er. »Wenn ich Publikum will, verlange ich Eintritt.«

»Ich werde dir nicht lästig fallen«, zwitscherte ich.

Ich brauche dir nicht lästig zu fallen, dachte ich und grinste in mich hinein. Iris wird dir für mich lästig fallen – aber wie!

Mike bürstete sein gewelltes Haar nach vorne. Es fiel ihm bis unters Kinn. Dann kämmte er es sorgfältig glatt nach hinten und fummelte daran herum, bis jedes einzelne Haar richtig lag.

Er schaute in den Spiegel und bewunderte sich selbst. Dann legte er den Kamm auf dem Waschbecken ab.

Ich konnte es mir nicht verkneifen, nach ausgefallenen Haaren Ausschau zu halten. Ein paar hingen im Kamm. Nicht mehr als gewöhnlich, aber einige.

Ein warmes Glücksgefühl erfasste mich. Diese paar Haare würden für Mike der Auftakt zu einer langen, langen Nacht sein.

Er verrieb Gel in den Händen und begann sein Haar damit in Form zu bringen.

Ich kicherte.

»Worüber lachst du, Dumpfbacke?«, wollte Mike wissen.

»Über nichts«, sagte ich mit Unschuldsmiene.

»Meine Haare kräuseln sich, wenn ich kein Gel benutze, okay?«, schnauzte er. »Wieso gehst du nicht und schreibst Tagebuch? Im Freibad haben mich alle um eine Fortsetzung gebeten!«

Mein Gesicht brannte. Doch ich schluckte meinen Ärger hinunter. Schließlich würde ich schon bald meine Rache bekommen.

Mike zupfte noch ein Weilchen an seinem Haar herum, dann föhnte er es. Danach machte er es erneut nass und kämmte irgendeine Pampe hinein. Anschließend föhnte er es wieder. Und dann zupfte er es noch einmal zurecht.

»Ich brauche dringend einen neuen Haarschnitt«, maulte er.

Du bekommst mehr als nur einen Haarschnitt, dachte ich mir. Eine Menge mehr!

»Ich muss los«, sagte er schließlich. »Du kannst meinetwegen die ganze Nacht auf dem Badewannenrand sitzen. Ich habe etwas Besseres zu tun.«

Er schaltete die Badezimmerlampe aus, obwohl ich da immer noch saß. Dann rempelte er mich an – so kräftig, dass er mich in die Badewanne stieß.

»Nimm ein Bad, Vera. Du hast es nötig!«

»He!«, protestierte ich. »Du Blödmann!«

Ich kletterte aus der Badewanne heraus und folgte ihm die Treppe hinunter. Ich beobachtete, wie er in Dads Wagen stieg und davonbrauste.

Viel Spaß, Mike, dachte ich. Zu dumm, dass du keinen Hut mitgenommen hast. Oder eine Papiertüte, um dein kostbares Haar darin zu sammeln!

Ich musste lachen. Dann kam mir eine Idee und ich fragte mich, ob ich wohl einen Film in meinem Fotoapparat hatte.

Ich werde warten und ein Foto von ihm machen, wenn er nach Hause kommt, beschloss ich. Ich brauche ein Bild von seinem großen, kahlen Kopf, damit ich es für alle Zeiten aufheben kann.

Ich trug meinen Fotoapparat nach unten und machte es mir im Wohnzimmer vor dem Fernseher bequem. Ich war ein bisschen enttäuscht. Eigentlich hatte ich gehofft, dass Mike die Haare auszufallen begannen, *bevor* er das Haus verließ.

Es hätte mir den Abend versüßt, wenn ich schon gesehen hätte, dass der Fluch Wirkung zeigte.

Aber es machte mir auch Spaß, mir vorzustellen, wie er mit Sophie ausging, prüfend sein Haar betastete und ihm dabei ein ganzes Büschel davon in der Hand hängen blieb.

Vielleicht würde sie schreien!

Das wäre hervorragend.

Ich ging in die Küche und machte mir in der Mikrowelle eine große Schüssel Popcorn. Dann kehrte ich zum Fernseher zurück.

Ich schaute mir auf dem Discovery Channel eine Sendung über die putzigsten Pinguine der Welt an. Aber ich war nicht ganz bei der Sache, denn ich musste dauernd an Mike denken. Und ich stopfte mir Popcorn in den Mund.

Es dauerte ein Weilchen, bis mir auffiel, dass etwas nicht stimmte.

Ich griff mit der Hand in die Popcornschüssel. »He...!« Das Popcorn blieb an meiner Hand kleben.

»Was ist denn nun los?«

Ich senkte den Blick und schaute auf meine Hand hinab.

Glotzte sie an. Glotzte...

Und dann riss ich den Mund zu einem schrillen Schrei auf.

15

Ich sprang so hektisch aus dem Sessel auf, dass die Schüssel umkippte und eine Popcornlawine sich auf den Boden ergoss.

Ich kümmerte mich nicht darum.

Ich packte meine Hand, pflückte das Popcorn davon ab, hielt sie mir dicht vors Gesicht und sah sie mir voller Entsetzen an.

»Nein! Das ist zu seltsam!«, hauchte ich.

Auf dem Handrücken sprossen dicke schwarze Stoppeln. Auf *beiden* Händen! Kurze Stoppeln, wie bei einem Männerbart.

Ich strich über die Haare. Sie fühlten sich steif und borstig an.

Ich rollte den Ärmel meiner Hemdbluse hoch.

»O neeeiiin!« Angewidert stöhnte ich auf. Die stacheligen Stoppeln wuchsen auf meinem ganzen Arm!

»Nein. O bitte, nein!«, schrie ich.

Mit hämmerndem Herzen rannte ich aus dem Zimmer und zum Spiegel im Flur.

»*Ich bin kein Werwolf!*«, sagte ich mir. »*Wir haben zur Zeit keinen Vollmond.*«

Plötzlich juckte es mich im Nacken. Ich drehte mich vor dem Spiegel.

»O neeeeiiin!«

Auch im Nacken waren mir dicke schwarze Haare gewachsen.

Was war das für ein Schatten unterm Kinn?

Nein. Auch hier wuchsen mir Haare! Sie sprossen rings um meinen Hals herum!

Mit großen Augen und offenem Mund hob ich die Hände an den Spiegel. Ich konnte fast dabei zusehen, wie das stoppelige schwarze Haar weiterwuchs. Die Haare auf dem Handrücken waren mittlerweile über zwei Zentimeter lang. Glatt und dick wie Bärenfell.

»Aaaaah!« Noch einmal stieß ich einen Schrei aus, als ich bemerkte, dass auch auf meiner Stirn Haare sprossen.

Mir drehte sich der Magen um. Ich konnte fühlen, wie mir das Abendessen hochkam.

Schwarze Haarbüschel ragten sogar aus meinen Ohren hervor!

»Iris!«, knurrte ich. »Iris hat wieder zugeschlagen!«

Wie hatte sie das wieder geschafft? Wie hatte sie es so vermurksen können?

Das glatte schwarze Haar hing mir über die Augen herab, wie ein Vorhang. Langsam schoben sich die Haare an den Armen aus den Ärmeln hervor.

Ich schaute auf meine Beine hinab – fellbewachsene Gorillabeine ragten aus meinen Jeansshorts hervor!

Und meine Hände erst! Sie sahen wie Tatzen aus. Pelzige schwarze Tierpfoten!

Das Haar wuchs sehr schnell. Als ich wieder in den Spiegel schaute, konnte ich mich kaum mehr selbst erkennen. Ich sah noch nicht einmal mehr wie ein *Mensch* aus.

»Ich ... ich bin so etwas wie ein *Ungeheuer*!«, rief ich entgeistert.

Mit einem Ruck wandte ich mich vom Spiegel ab. Ich konnte meinen Anblick nicht länger ertragen.

»Iris«, murmelte ich. »Ich muss zu Iris.«

Ich rannte los. Beim Laufen rieben meine fellbedeckten Beine aneinander. »Ohhhh.« Was für ein elendes Gefühl. Pelz rieb an Pelz.

Mom und Dad saßen auf der Veranda hinterm Haus und tranken Eistee. »Ich gehe spazieren!«, rief ich zu ihnen hinaus. »Bin gleich wieder da!«

Ich flitzte in die Garage, bevor sie mich zu sehen bekamen. Ich schwang mich auf Moms Fahrrad und wollte in die Pedale treten.

»AUUUU!«

Mein dickes Fell verfing sich in den Speichen!

Ich fiel vom Rad und landete auf meinem pelzigen Rücken.

Ich kann nicht Fahrrad fahren!, wurde mir klar.

Ich rappelte mich auf. Fell quoll aus meinen Schuhen hervor. Ich strich mir das schwarze Haar aus den Augen und marschierte dann zu Fuß los, zu Carl nach Hause.

Als ich die Straße zum nächsten Block überquerte, hörte ich einen Hund bellen. Zuerst in der Ferne. Doch dann vernahm ich das dumpfe Geräusch von Pfoten, die rasch übers Gras liefen.

Ich drehte mich um. Ein riesiger schwarzer Labrador, der aufgeregt kläffte. Er lief im Kreis um mich herum und schnappte beim Bellen nach mir.

»Geh nach Hause!«, befahl ich ihm. »Böser Hund! Verschwinde! Geh nach Hause!«

Ich hob die fellbedeckten Arme und versuchte ihn zu verscheuchen.

Doch damit schien ich den Hund nur noch mehr anzustacheln. Laut kläffend umkreiste er mich wieder und wieder.

Ich trat die Flucht an und lief davon. Doch durch das lange Fell waren meine Beine schwer geworden. Mein Körper fühlte sich an, als wöge er tausend Kilo!

Ein weiterer Hund – eine Art Terrier – kam hinter mir her gerannt. Er beschnupperte das Fell an meinem Bein. Dann fing er zu bellen an, ein schrilles, wütendes Gekläff.

»Geht nach Hause! Geht nach Hause! Bitte!«, heulte ich.

Zwei weitere Hunde tauchten auf. Bellten aufgebracht. Umkreisten mich. Und liefen im Zickzack vor mir her.

Erneut versuchte ich vor ihnen zu fliehen.

Mittlerweile zählte ich sechs Hunde. Sie gebärdeten sich alle wie toll, bellten und knurrten.

Was wollten sie von mir? Waren sie drauf und dran, mich anzugreifen?

Von Panik gepackt, verlor ich die Beherrschung. »Ich bin kein Tier!«, brüllte ich sie an. »Ich bin ein Mensch! Geht nach Hause! Geht heim!«

Ich konnte Carls Haus auf dem nächsten Grundstück sehen, aber mir kam es noch meilenweit entfernt vor.

Die Hunde knurrten nun. Einige von ihnen hatten den Kopf gesenkt und den Rücken angespannt, bereit, mich anzufallen.

Sie halten mich für einen Bären oder so etwas, sagte ich mir.

Na ja, *natürlich* tun sie das. Schließlich sehe ich ja wirklich wie ein Bär aus!

»Geht nach Hause! Bitte, geht nach Hause!«, flehte ich sie an.

Der schwarze Labrador knurrte wieder laut und dann sprang er los.

Mit den Vorderpfoten erwischte er mich an den fellbedeckten Schultern. Sein schwerer Körper rammte mich.

Ich stürzte mit einem Aufschrei auf die Erde – und der Labrador fiel auf mich drauf.

»Nein – aus! Runter von mir! Runter! Runter!«, kreischte ich.

Rings um mich herum hörte ich es kläffen und knurren.

Ich versuchte mich aufzurappeln. Doch ein großer Deutscher Schäferhund senkte den Kopf und stieß mich zurück ins Gras.

Und dann sprangen alle Hunde gleichzeitig auf mich los.

Ich spürte ihren heißen Atem im Gesicht. Lauter Zähne zerrten an meinem Fell.

Sie stürzten sich auf mich... stürzten sich auf mich...

Und da wusste ich, ich war so gut wie Hackfleisch.

16

Auf einmal hörte ich über das Knurren der Hunde hinweg einen gellenden Schrei.

Die Hunde vernahmen ihn ebenfalls. Sie hörten auf zu bellen und zu knurren. Einige von ihnen ließen mein Fell los, legten den Kopf schief und lauschten.

Gelbes Licht fiel auf den Rasen.

»Verzieht euch! Verschwindet! Geht nach Hause! Kusch!«, brüllte eine Stimme.

Die Hunde zögerten. Sie schauten zum Licht.

»Geht nach Hause! Geht nach Hause – aber schnell!«

Und tatsächlich! Das ganze Rudel wandte sich von mir ab und rannte davon. Ihre Pfoten dröhnten laut über den Rasen, als sie in alle Richtungen davonstoben.

Mir war schwindelig und mein Herz klopfte, als ich mich aufrichtete und auf einen meiner fellbedeckten Ellenbogen stützte. Ich erblickte Carl, der von seiner Veranda heruntersprang und bedächtig auf mich zukam.

»O weia«, murmelte er.

Er hob langsam mit beiden Händen einen Rechen hoch und schwang ihn zurück, um ihn als Waffe zu benutzen.

Ich setzte mich auf und streifte Gras und Blätter ab.

Carl hielt die Augen auf mich gerichtet, während er argwöhnisch näher kam, bereit, jederzeit zuzuschlagen.

»Ganz ruhig, Junge«, sagte er zu mir. »Bist du etwa aus einem Zoo oder einem Zirkus ausgerissen?«

Ich öffnete den Mund, um zu antworten. Doch die Worte blieben mir im Hals stecken.

Ich räusperte mich und strich mir das Fell aus den Augen.

»Ruhig, Junge«, wiederholte Carl angespannt.

»Hör auf, mich *Junge* zu nennen«, fuhr ich ihn an. »Was ist denn los mit dir, Carl? Ich bin's!«

»Wie bitte?« Der Rechen fiel ihm aus den Händen und landete auf seinem Fuß. Carl zuckte vor Schmerz zusammen, ließ mich aber trotzdem nicht aus den Augen.

»Du ... du *sprichst*?«, stotterte er.

»Ich bin es. Vera!«, erklärte ich.

Er schnappte nach Luft. Ich dachte schon, seine Augen würden ihm gleich aus dem Kopf fallen.

»Vera?«

»Iris hat das angerichtet«, sagte ich und wies mit den Händen auf mein Bärenfell.

Ich stand auf. Das war gar nicht so einfach, denn das Fell war inzwischen noch länger geworden. Vermutlich ähnelte ich einem schwarzen Heuhaufen!

»Du... du... du...« Carl konnte nur stammeln.

»Iris hat es schon wieder verpfuscht«, fuhr ich fort. »Eigentlich sollte sie Mike eine Glatze verpassen!«

»Diese Hunde...«, ächzte Carl.

»Die haben mich für einen Bären gehalten«, sagte ich.

202

»Oder vielleicht dachten sie auch, ich wäre ein riesiger, potthässlicher Hund.«

»Was machen wir jetzt?«, rief Carl.

»Dreimal darfst du raten«, erwiderte ich missmutig. »Wir gehen wieder zu Iris' Wohnwagen.«

Es war nicht leicht.

Wir huschten vorsichtig im Schutz der Dunkelheit voran, weil ich von niemandem gesehen werden wollte.

Allerdings folgten uns rudelweise Hunde. Sie schnüffelten und schnappten nach meinem Fell.

Carl versuchte sie zu verscheuchen. Ohne Erfolg.

Als wir den Randbezirk der Stadt erreichten, verfolgten uns ein paar grölende Jugendliche in einem Wagen. Sie riefen zu den Fenstern heraus, lachten und machten grobe Witze über mich.

Als Carl ihnen sagte, sie sollten sich gefälligst um ihre eigenen Angelegenheiten kümmern, lachten sie und düsten davon.

Und dann hörten wir vom Ende Straße her Polizeisirenen. »Jemand muss gemeldet haben, dass er eine unheimliche Kreatur gesehen hat!«, rief ich. »Ich muss mich schnell verstecken! Aber wo?«

»Du bist zu groß, als dass du dich verstecken könntest«, wandte Carl ein.

Er hatte Recht. Durch meinen langen, dicken Pelz wirkte ich beinahe so groß wie ein Grislibär!

Wir sahen Blaulichter. Zwei Streifenwagen kamen auf uns zugerast.

Keine Zeit davonzulaufen. Keine Zeit, um uns zu verstecken.

Ich erstarrte und wartete darauf, dass sie anhielten.

Wartete … und wartete …

Da sausten die beiden Wagen direkt an uns vorbei.

Mir pochte das Herz in der Brust, während ich den Blaulichtern nachstarrte, bis die Streifenwagen außer Sicht waren.

»Wir müssen uns beeilen«, erklärte ich Carl. »Der Pelz wächst noch immer weiter. Mittlerweile ist er schrecklich schwer. Bald werde ich nicht mehr gehen können.«

Wir brauchten zwanzig Minuten bis zum Wohnwagenpark. Diesmal konnte ich mich daran erinnern, wo Iris wohnte.

Ich atmete schwer und schwitzte unter der dicken Pelzschicht. Ich musste mir ständig das dichte Haar aus den Augen streichen, um überhaupt etwas sehen zu können.

Carl klopfte an die Tür des Wohnwagens.

Sie schwang auf.

Drinnen herrschte Dunkelheit.

»Iris?«, rief ich hinein. »Iris? Sind Sie zu Hause?«

»*AHHHK!*« Ein Schrei von Maggie. Die einzige Antwort.

Ich beugte mich in den Eingang. »Jemand zu Hause?«, versuchte ich es noch einmal.

Keine Antwort.

»Lass uns reingehen«, schlug Carl vor.

Ich hielt ihn zurück. »Wir können da doch nicht reingehen, wenn Iris nicht zu Hause ist«, sagte ich.

Ich entdeckte eine Fliege auf dem Pelz an meinem Arm und schnippte sie fort. »Igitt. Carl, ich glaube, auf mir wimmelt es nur so von Ungeziefer!«

»Komm schon. Lass uns reingehen«, wiederholte er. »Wir halten uns an Maggie. Wir können dich auch ohne Iris wieder zurückverwandeln.«

»Na ja, vielleicht hast du Recht...«, sagte ich leise.

Carl stieg in den dunklen Wohnwagen. »Komm schon, Miss Pelz. Hier gibt es nichts, wovor du dich fürchten müsstest.«

Nichts? Wieso hatte ich dann so ein ungutes Gefühl bei der Sache?

17

»Oh!« Ich stieß mit den Seiten gegen den Türrahmen des Wohnwagens.

Mein Pelz war so dick geworden, dass ich wie ein gigantischer Ballon aussah. Ich war zu breit, als dass ich mich in Iris' Wohnwagen hätte quetschen können.

Mit einem Stöhnen wuchtete ich mich vorwärts – und stieß erneut gegen den Türrahmen.

»Carl, ich bin zu breit. Ich komme nicht rein!«, rief ich.

Er spähte aus dem dunklen Eingang zu mir heraus. »Dreh dich seitwärts«, wies er mich an. »Versuch es anschließend noch mal.«

Ich nahm alle Kraft zusammen, um mich zu drehen. Dann zwängte ich mich seitwärts durch die Tür. Ich schaffte es mit Müh und Not.

»*KAAAAAAAH!*« Maggie stieß einen schauerlichen Schrei aus, als ob sie uns warnen und verscheuchen wollte. Mir stand das Fell zu Berge.

»Wo ist das Licht?«, fragte Carl, der angespannt und verängstigt klang. »Such eine Lampe oder so etwas.«

Ich stieß gegen einen Tisch. Etwas Schweres fiel mit lautem Poltern zu Boden.

Carl und ich schrien gleichzeitig auf.

»Nur die Ruhe! Nur die Ruhe!«, beschwichtigten wir uns beide gegenseitig.

»*KAAAAAWAAAAHH!*« Wieder ein schrilles Kreischen von Maggie irgendwo in der Dunkelheit.

»Iris?«, rief ich. »Iris? Sind Sie im Schlafzimmer?«

Keine Antwort.

Ich rammte eine Couch oder einen Sessel. »Autsch!« Als ich aufschrie, wurde es in dem Raum noch dunkler.

»Carl – ich kann nichts sehen!«, rief ich.

Es dauerte ein Weilchen, bis mir klar wurde, dass der

Pelz meine Augen bedeckte. Ich strich ihn mit beiden fellbedeckten Tatzen zurück.

»Ich ... ich halte das nicht länger aus«, stotterte ich.

Plötzlich erfüllte gelbes Licht den Raum. Carl hatte eine Tischlampe entdeckt.

»*KAAAAAAAHAAH!*«

Maggie hüpfte aufgeregt auf einer hölzernen Stange in ihrem Käfig auf und ab.

»Wir müssen uns beeilen«, sagte ich zu Carl. Meine Stimme wurde von dem dichten Fell, das mein Gesicht bedeckte, gedämpft. »Ich bin so schwer ... ich kann kaum mehr atmen.«

Carl bahnte sich einen Weg durch den voll gestellten Raum und packte den Griff oben an Maggies Käfig. Sofort krächzte die Krähe wieder und hüpfte, als wollte sie dagegen protestieren.

»Mach schnell«, würgte ich hervor. »Ich ... ich ersticke hier drunter.«

Er stellte den Käfig auf den Tisch, öffnete die Tür und holte die Krähe heraus. Dann setzte er den Vogel auf eine meiner haarigen Hände.

»Sag deinen Wunsch«, wies Carl mich an. »Streich über den Vogel. Du hast ja gesehen, wie Iris das gemacht hat. Das kannst du auch.«

»Hoffentlich«, murmelte ich leise.

Ich schloss die Augen und versuchte mit klopfendem Herzen, meinen Wunsch zu formulieren.

Verschwindet, dachte ich. *Ihr Haare – verschwindet.*

Ich strich Maggie mit meiner schweren Tatze über den Rücken. Einmal, zweimal… dreimal.

Dann öffnete ich die Augen wieder. Maggie hatte den Kopf schief gelegt und starrte mit einem schwarzen Auge zu mir hoch, das wie ein dunkler Edelstein glänzte.

Ich zwang mich dazu, den Blick abzuwenden. »Nichts ist passiert«, stöhnte ich.

»Lass der Sache ein bisschen Zeit«, meinte Carl. Er brachte die Krähe zurück in den Käfig.

»Mir bleibt nicht mehr viel Zeit«, hauchte ich ermattet. »Zu schwer… ich bin zu schwer.«

Meine Knie gaben nach. Meine Beine konnten mich nicht mehr halten. Ich hatte das Gefühl, unter einem Berg aus schwarzem Fell begraben zu werden. Von meinem Gewicht zu Boden gezogen zu werden.

»Wieso funktioniert es nicht? Wieso?«, jammerte ich.

Carl schluckte. »Lass deinem Wunsch Zeit, Vera. Es sind ja erst ein paar Sekunden vergangen.«

»Gib mir die Krähe wieder!«, befahl ich ihm. »Ich versuch's noch mal. Ich probiere es mit einem anderen Wunsch. Ich versuche es mit *zehn* anderen Wünschen!«

Carl gab keine Antwort. Er bewegte sich nicht.

»Carl?«, rief ich. »Was ist los?«

Ich strich den dichten Pelz vor meinen Augen zurück. Carl hatte den Kopf gesenkt. Worauf starrte er?

»Carl?«, schrie ich. »Was ist los?«

»Ähm... also...« Seine Augen hinter der Brille traten hervor. Selbst in dem dämmrigen Licht der Lampe konnte ich das Entsetzen auf seinem Gesicht erkennen.

»Vera...«, murmelte er und streckte mir die Hände entgegen.

»O nein!«, keuchte ich.

Ich erblickte dichtes schwarzes Haar auf Carls Handrücken.

18

»Es ... es wächst«, stammelte Carl.

Er ließ die Hände sinken und wandte sich zornig mir zu. »Wieso, Vera? Wieso hast du mir das angetan?«

»Das habe ich gar nicht!«, widersprach ich. »Etwas ist schief gegangen. Vielleicht ist diese blöde Krähe daran schuld! Vielleicht...«

Ich kam nicht mehr dazu, den Satz zu beenden.

Ein lauter Schrei von der offenen Tür hinter uns ließ uns zusammenfahren.

Ich versuchte mich umzudrehen. Doch der Pelz lastete zu schwer auf mir. Ich konnte mich nicht rühren.

»Es ist Iris!«, japste Carl.

Sie stürmte wütend in den Wohnwagen. Ihr langes violettes Kleid flatterte hinter ihr her. »Wer seid ihr? Was macht ihr hier drinnen?«, wollte sie wissen.

»Ich bin es«, ächzte ich. »Vera.«

»Uns wächst ein Fell!«, rief Carl und hielt seine behaarten Hände in die Höhe. »Sie müssen etwas tun.«

Iris stand der Mund offen. Dann griff sie in mein Fell und zog fest daran, als wollte sie sich vergewissern, dass es echt war.

»Autsch!«, schrie ich.

»Oje!«, murmelte Iris. Sie trat einen Schritt zurück und ließ die Augen von mir zu Carl wandern.

»Ich bekomme hier drunter keine Luft«, keuchte ich. »Und es ist hundert Grad heiß. Tun Sie etwas!«

»Ja, tun Sie etwas – bitte!«, echote Carl. Ihm war bereits ein Fellstreifen im Nacken gewachsen. Und aus der Nase hingen ihm schwarze Haarbüschel hervor.

»Ich habe es wieder verpatzt«, sagte Iris kopfschüttelnd. »Das ist das Problem, wenn man ein neues Geschäft beginnt. Es dauert eine Weile, bis alle Fehler ausgemerzt sind. Das ist wie mit Ungeziefer.«

»Erzählen Sie mir nichts von Ungeziefer«, murmelte ich. Ich war mir sicher, dass sich in meinem Pelz bereits viele kleine Tierchen eingenistet hatten.

Plötzlich gaben meinen Knie nach und ich sackte zu Boden, von meinem Gewicht niedergedrückt.

»Ich bekomme keine Luft…«, ächzte ich. »Diese

Haare… sie *ersticken* mich. Und ich kann nichts *sehen*!«

Ich hörte, wie Iris durch den Raum schritt. Maggie krächzte aufgeregt.

»Ich versuche es mit einem anderen Zauberspruch«, verkündete Iris. »Ich werde etwas ausprobieren, das rasch wirkt.«

»Ich habe schon etwas ausprobiert!«, heulte ich.

Iris gab einen erschrockenen Laut von sich. »Du solltest mit Maggie lieber keine Experimente machen, Vera! Ich warne dich. Das ist gefährlich. Es ist nicht so einfach, wie es aussieht. Es gibt Regeln…«

»Bitte«, flehte ich sie an. »Beeilen Sie sich.«

Ein paar Sekunden herrschte Stille.

Dann hörte ich das Quietschen der Käfigtür, die geöffnet wurde, und das Flattern von Maggies Flügeln.

Wieder herrschte Stille.

Plötzlich begann es mich zu jucken.

O nein!, dachte ich. Sie hat den Juckfluch schon wieder ausgesprochen. Ich bin unter zwei Tonnen Haaren begraben – und jetzt beginnt auch noch der Juckreiz, der mich umbringt!

Aber nein.

Das Fell zog sich zurück, es legte meine Augen frei.

Plötzlich fühlte ich mich leichter. Ich setzte mich auf.

Meine Arme kribbelten. Meine Beine kribbelten. Es juckte mich am ganzen Körper.

211

Weil sich das Fell in die Haut zurückzog!

Ich saß verdattert und verblüfft auf dem Boden. Spürte, wie die Haare in mich hineinglitten, kürzer wurden und kleiner. So, als würde jemand ein Video, das zeigte, wie Haare wuchsen, rückwärts ablaufen lassen.

Sekunden später sahen Carl und ich uns gegenseitig an. Wir waren wieder normal.

Prüfend strich ich über meine Arme. Glatt. Ich rieb mir über den Nacken. Frei von Haaren.

Ich fühlte mich leicht. Leicht wie ein Vogel!

Carl zog mich auf die Füße hoch. Wir jubelten vor Freude.

Iris, die noch immer die Krähe auf der Hand sitzen hatte, schüttelte bekümmert den Kopf. »Tut mir Leid«, murmelte sie. »Tut mir wirklich sehr Leid.«

»Bedeutet das, dass Mike heute Abend keine Glatze bekommen hat?«, wollte ich wissen.

»Ich hab's vermurkst«, seufzte Iris. »Ich schulde euch etwas. Noch einen weiteren Versuch.«

Ich zögerte. Bis jetzt hatten sich meine Rachewünsche in keinster Weise erfüllt. Sollte ich die ganze Idee lieber aufgeben?

»Ich denke, ich weiß jetzt, wo das Problem liegt«, sagte Iris nachdenklich. Sie setzte sich Maggie auf die Schulter. »Ihr müsst nach Hause gehen. Wenn ihr nicht hier seid, wird sich der Zauberbann auf deinen Bruder auswirken – und nicht auf dich.«

»Na gut«, stimmte ich zu. »Ich schätze, wir sollten es noch einmal versuchen.«

Es wäre doch schade, sagte ich mir, all diese Strapazen mitgemacht und trotzdem noch immer keine Rache genommen zu haben.

»Aber was wollen Sie ihm diesmal antun?«, fragte ich.

Ein sonderbares Lächeln spielte um Iris' schwarze Lippen. »Ich werde dafür sorgen, dass deine Probleme verschwinden«, meinte sie.

»Wie bitte?«, rief ich. »Was wollen Sie damit sagen?«

»Mach dir keinen Kopf deswegen«, entgegnete Iris, immer noch lächelnd. »Geh einfach nur nach Hause und entspann dich. Diesmal wirst du voll und ganz zufrieden sein, Vera. Das verspreche ich dir.«

Ein paar Sekunden später machten Carl und ich uns auf den weiten Weg nach Hause.

Ich fühlte mich so gut wie lange nicht mehr. Ich war glücklich, wieder normal zu sein und nicht mehr von einer Tonne Fell niedergedrückt zu werden.

Aber gleichzeitig war mir auch unbehaglich zu Mute. *Verschwinden?*, dachte ich.

Was hatte sie damit gemeint, als sie sagte: *»Ich werde dafür sorgen, dass deine Probleme verschwinden«*?

19

»Mach dir keine Sorgen, Vera.« Mom küsste mich auf die Stirn. »Mike wird sich gut um dich kümmern. Das wirst du doch, Mike, oder?«

»Ich kümmere mich um sie, na klar«, sagte Mike. Er zerzauste mir liebevoll das Haar, um einen auf *großer Bruder* zu machen. So, als wären er und ich die besten Freunde.

Es war am nächsten Morgen, dem Tag nach der Haarkatastrophe. Mom und Dad kamen mit mehreren Koffern in die Küche marschiert und verkündeten, dass sie verreisen und über Nacht wegbleiben würden.

»Das wird ein romantischer Abend am Strand«, erklärte Dad. »Nur eure Mutter und ich.«

»Ist das nicht süß?«, strahlte Mom.

Anbetungswürdig, dachte ich griesgrämig.

Es machte mir nichts aus, dass sie über Nacht wegblieben. Aber es gefiel mir ganz und gar nicht, mit Mike allein zu sein. Völlig seiner Gnade ausgeliefert. Und niemand da, der ihn davon abhielt, mich zu schikanieren.

»Viel Spaß euch beiden.« Mike grinste. Ich konnte sehen, dass er es kaum abwarten konnte, der Herr im Hause zu sein. »Ich werde dafür sorgen, dass Vera nicht das Haus abbrennt.«

Mom küsste ihn dankbar auf die Wange. Mir drehte sich der Magen um.

»Wir haben euch eine Liste gemacht, mit allem, was ihr heute zu tun habt.« Dad deutete auf ein Blatt Papier, das auf der Anrichte lag. »Teilt euch die Aufgaben gerecht auf. Und lasst nichts aus. Ich werde die Liste überprüfen, wenn ich zurückkomme.«

Ich schielte auf die Liste. Sie war endlos!

»Keine Partys!«, setzte Mom hinzu, während sie ihren Koffer hochhob. »Mike, du kannst meinen Wagen benutzen, wenn es nötig ist. Aber bleib abends nicht zu lange aus. Und vergiss deine Schwester nicht.«

»Wenn ich einen eigenen Wagen hätte...«, begann Mike.

»Fang jetzt nicht wieder damit an«, mahnte ihn Dad. »Bis morgen, ihr zwei! Wir kommen früh nach Hause.«

Ich sah ihnen nach, als sie davonfuhren. Wie können sie mir das antun?, fragte ich mich. Wie können sie mich hier mit Mike alleine zurücklassen?

Na, vielleicht ist es ja ganz gut, dass sie weggefahren sind, dachte ich. Wenn sie nicht hier sind, bekommen sie meine Rache an Mike nicht mit... wie immer die aussehen wird.

Ich rätselte, mit welchem Bann Iris ihn diesmal belegt hatte. Wann würde der Zauber zu wirken beginnen? Bis jetzt kam mir Mike ganz normal vor, so unausstehlich wie immer.

Er nahm mich in den Schwitzkasten. »Bereit für ein bisschen Spaß, Vera?« Er drückte fester zu und erwürgte mich beinahe.

»L-lass los!«, zischte ich.

Er kitzelte mich unter den Armen. Ich *hasse* es, gekitzelt zu werden.

»Hör auf damit!«, schrie ich und riss mich los.

Mike schnappte sich die Liste von der Anrichte und ließ sie mir vor der Nase baumeln. »Du fängst besser gleich damit an, deine Pflichten zu erledigen. Denk dran – Dad wird dich morgen kontrollieren.«

»*Meine* Pflichten?«, fauchte ich. »Wie kommt's, dass es *meine* Pflichten sind?«

»Ich habe zu viel zu tun«, antwortete Mike.

»Du kannst mich nicht zwingen, alles zu machen«, sagte ich. Ich schob ihm die Liste zurück. »Das ist ganz unmöglich!«

»Natürlich kann ich das«, erwiderte er boshaft.

»Und wie?«, wollte ich mit schriller Stimme wissen.

»Mit diesem kleinen Foto hier.« Mike wedelte mir mit einem Polaroidfoto vor dem Gesicht herum.

»Gib es mir!«, verlangte ich. »Was ist da drauf?«

Er hielt es hoch über meinen Kopf. »Hast du nicht gehört, wie ich mich heute früh in dein Zimmer geschlichen habe?« Mike grinste so unverschämt, dass ich ihm am liebsten eine geknallt hätte.

»Bitte? Du hast *was*?«, quiekte ich.

»Du hast geschlafen wie ein Baby«, sagte Mike. »Und geschnarcht. In deiner Unterwäsche. Aus deinem Mund lief ein bisschen Sabber. Und das habe ich alles auf Foto.«

Ich bebte vor Zorn. Ich konnte einfach nicht glauben, dass jemand so fies sein konnte.

»Das hast du *nicht* getan!«, keifte ich.

»O doch, das habe ich.« Mike hielt mir das Foto ganz kurz vors Gesicht, dann zog er es wieder weg. Aber ein rascher Blick genügte, dass mir das Herz mit einem *PLUMPS* in die Hose rutschte.

Da war ich in meiner Unterwäsche, die Augen geschlossen, der Mund offen und ein wenig Spucke lief mir über das Kinn hinunter.

»Gib es mir!«, schrie ich und griff hastig nach dem Foto. Doch Mike zog es blitzschnell aus meiner Reichweite.

»Du machst dich besser an die Arbeit. Wenn bis zum Ende des Tages nicht alles erledigt ist, wird Steve Wilson dieses bezaubernde Foto von dir morgen in der Post finden.«

»Du Mistkerl!«, brüllte ich. »Ich hasse dich! Ich hasse dich! Ich wünschte mir, du würdest verschwinden und nie wieder zurückkommen!«

In dieser Nacht wurde mir mein Wunsch erfüllt.

20

Nach dem Abendessen sprang Mike vom Tisch auf. »Du spülst ab«, knurrte er. »Ich gehe aus.«

»Du gehst aus?«, rief ich. »Wohin?«

Er grinste mich höhnisch an. »Geht dich das etwas an? Ich glaube nicht.« Er schnappte sich Moms Autoschlüssel und trabte zur Tür. »Du brauchst nicht auf mich zu warten.«

Sekunden später hörte ich, wie er mit quietschenden Reifen die Einfahrt hinunterfuhr und davonbrauste.

Carl kam vorbei, als ich gerade damit fertig war, das Geschirr in die Spülmaschine zu laden. »Was ist mit Mike passiert?«, wollte er wissen. »Ist ihm ein zusätzlicher Arm gewachsen? Sprießen ihm Haare aus der Nase, die ihm bis zum Kinn hängen?«

»*Nichts* ist passiert«, erwiderte ich. »Er hat sich heute Nachmittag den Zeh gestoßen. Das war aber auch schon das Schlimmste.«

Carl gab sich Mühe, meine Stimmung zu heben. »Der Bann hat einfach noch nicht zu wirken begonnen. Ich wette, dass Mike heute Abend noch etwas ganz Übles widerfährt.«

»Das hoffe ich.« Ich seufzte. »Das hoffe ich wirklich.«

Nachdem Carl gegangen war, wartete ich auf Mike. Doch gegen elf war ich hundemüde.

Ich schaltete mit der Fernbedienung von Kanal zu Kanal und versuchte krampfhaft, die Augen offen zu halten.

Um Mitternacht gab ich schließlich auf und ging zu Bett.

Ich schaltete alle Lichter aus. Aus reiner Gemeinheit. Ich hoffte, dass er im Dunkeln vielleicht hinfallen oder sich den Kopf stoßen würde.

Ich fiel in einen unruhigen Schlaf. Immer wieder lauschte ich mit halbem Ohr darauf, ob Mike nach Hause kam. Außerdem hatte ich mehrmals in dieser Nacht einen sonderbaren Traum.

Im Traum sah ich Maggie. Düsteres, blutrotes Licht fiel auf ihr schwarzes Gefieder.

Sie flatterte mit den Flügeln ... einmal, zweimal, dreimal ... und verwandelte sich in ein Mädchen. Ich kannte das Mädchen nicht. Ich hatte es nie zuvor gesehen.

Das Mädchen drehte sich dreimal um die eigene Achse – und verwandelte sich in Iris!

Ich rief Iris im Traum etwas zu. *Iris! Hilf mir!* Daraufhin streckte Iris mir die Arme entgegen, hielt aber mitten in der Bewegung inne.

Sie strich sich dreimal über ihr langes glänzendes schwarzes Haar – und verwandelte sich in eine Krähe! Die Krähe öffnete den Schnabel weit und stieß drei ohrenbetäubende Rufe aus. *»AAAAHH!«*

Schreiend erwachte ich und setzte mich auf. Ich atmete in tiefen Zügen ein und aus.

Puh. »Was für ein verrückter Traum«, murmelte ich.

Die Morgensonne schien bereits zum Fenster herein. Ich musste ziemlich lange geschlafen haben.

Ob Mike noch schlief?

Ich stieg aus dem Bett, zog mich rasch an und ging über den Flur zu Mikes Zimmer. Seine Tür war geschlossen. Ich klopfte.

Keine Antwort.

Ich klopfte fester.

Nichts.

Ich öffnete die Tür. In Mikes Zimmer war es dunkel. Ich schaltete das Licht ein.

Sein Bett war leer. Noch unberührt.

Er hatte nicht darin geschlafen. Er war nicht nach Hause gekommen.

War er mit einem seiner Freunde die ganze Nacht lang unterwegs gewesen? War er über Nacht weggeblieben, ohne vorher anzurufen? Wenn Mom und Dad zu Hause gewesen wären, hätte er sich das nie getraut.

Ich fand Mikes Adressbuch, ging nach unten und rief seine Freunde an. Keiner von ihnen hatte ihn am vergangenen Abend gesehen.

Schließlich erreichte ich Mikes besten Freund Ryan. »Hier ist Vera. War Mike gestern Abend mit dir zusammen?«, fragte ich ihn.

»Ich habe ihn nicht gesehen«, erwiderte Ryan. »Eigentlich wollte Mike zu mir kommen. Aber er ist nicht aufgetaucht.«

Nicht aufgetaucht?

Kalte Angst erfasste mich.

Plötzlich war ich mir sicher, dass ihm etwas zugestoßen war.

Iris. Iris hatte dafür gesorgt, dass meine Probleme verschwanden.

Iris hatte meinen *Bruder* verschwinden lassen.

Zitternd stand ich mitten in der Küche, den Telefonhörer noch immer in der Hand.

Mike war verschwunden. Für immer fort.

Und es war alles meine Schuld.

Ich fing zu würgen an. Mir war schlecht.

Da hörte ich ein rumpelndes Geräusch. Von der Einfahrt her. Ein Wagen.

Ich hastete zum Fenster. Mom und Dad waren nach Hause gekommen.

Was soll ich ihnen sagen?, fragte ich mich. Was sage ich ihnen nur?

21

Mom und Dad stellten ihr Gepäck an der Tür ab und küssten mich zur Begrüßung. »Wo ist Mike?«, wollte Dad wissen.

»Ähm... also...«

Was sage ich? Soll ich ihnen die Wahrheit erzählen? Nein, nein. Das kann ich nicht.

»Ich glaube, er ist schon früh arbeiten gegangen«, log ich. Ich musste sie hinhalten. Vielleicht fand ich ja eine Möglichkeit ihn zurückzubringen, bevor sie alles herausfanden.

Dad verschränkte die Arme. »Heute ist Samstag, Vera«, sagte er streng. »Samstags arbeitet Mike nicht.«

»Oh.« Mein Herz klopfte so stark, dass ich nicht klar denken konnte. »Ähm... also auf jeden Fall ist er früh aus dem Haus gegangen. Vielleicht plant er irgendeine Überraschung für euch zwei!«

Mom funkelte mich an. »Versuch nicht ihn zu decken, Vera. Er ist die ganze Nacht weggeblieben – *stimmt's*?«

Ich senkte den Blick zu Boden. »Also...«

Dad lachte. »Über Nacht weggeblieben! Was für ein Kerl! Glaubst du, er kommt nach mir?«

Mom knuffte ihn spielerisch. »Das ist nicht komisch. Mike hätte zu Hause sein und sich um Vera kümmern sollen.«

»Mir … geht's gut«, erklärte ich. Noch eine Lüge.

»Warte, bis er nach Hause kommt«, sagte Mom spitz. »Dann werde ich dem Jungen mal ordentlich die Meinung sagen.«

Klar, sicher, dachte ich. Wenn du warten willst, bis er nach Hause kommt, kannst du möglicherweise lange warten. *Sehr* lange!

Ich ging auf die Tür zu.

»Vera, wo willst du hin?«, rief Mom.

»Ähm … ich muss mich mit jemandem treffen«, antwortete ich.

»Sie müssen ihn zurückbringen, und zwar sofort!«, erklärte ich Iris. Ich hatte energisch die Hände in die Hüften gestützt und lief in ihrem engen Wohnwagen auf und ab.

Iris warf mit einer Kopfbewegung ihr langes Haar zurück. »Ich soll ihn zurückbringen? Wieso?«

»Weil … weil …«, stammelte ich zornig.

»Ich dachte, du wärst glücklich darüber«, sagte sie.

»Glücklich?«, kreischte ich. »Was ist mit meinen Eltern? Was mit Mikes Freunden? Mit meiner ganzen Fa-milie? Das wird allen das Herz brechen. Das ist das Ende für meine Familie. Nichts wird mehr so sein wie früher!«

Iris starrte mich an, während ich hin und her marschierte. Sie schüttelte den Kopf. »Tut mir Leid. Du bist zu mir gekommen, weil du Rache wolltest. Ich habe dir eine perfekte Rache ermöglicht.«

»Sie ist nicht perfekt!«, heulte ich. »Sie ist schrecklich! Begreifen Sie denn nicht, was Sie angerichtet haben? Mein Bruder ist für immer verschwunden – und es ist ganz allein meine Schuld! Darüber werde ich nie hinwegkommen. Mein ganzes Leben lang nicht ...«

»Und was soll ich deiner Meinung nach jetzt tun?«, fragte Iris eingeschnappt. »Ihn zurückbringen?«

»Ja, natürlich!«, schrie ich. »Bringen Sie ihn zurück!«

Sie verschränkte die Arme vor ihrem lila Kleid. »Tut mir Leid. Das kann ich nicht.«

»Das können Sie nicht?«, rief ich kläglich.

»Es ist zu schwierig«, erläuterte Iris. »Es ist ein sehr komplizierter Bann. Ich habe Stunden dafür gebraucht. Ich bin mir nicht einmal sicher, ob man ihn überhaupt wieder aufheben kann.«

»Aber Sie müssen es wenigstens versuchen!«, bettelte ich.

»Es tut mir wirklich Leid«, erwiderte Iris. »Aber ich kann es nicht. Du musst jetzt gehen. Ich habe hier ein Geschäft, um das ich mich kümmern muss.«

»Ich gehe nicht!«, sagte ich kratzbürstig und ließ mich in den großen violetten Sessel an der Wand fallen. »Ich werde nicht gehen, bevor Sie Mike nicht zurückgebracht haben.«

»Das ist nicht möglich«, sagte Iris bestimmt. »Jeden-

224

falls nicht umsonst. Alles, was ich gratis für dich tun konnte, Vera, habe ich getan.«

Ich starrte sie durchdringend an. »Sie meinen ...«

Ihre dunklen Augen blitzten. »Ich kann deinen Bruder sicher, gesund und munter zurückbringen. Aber ... das hat seinen Preis.«

Ich schluckte.

Mir war klar gewesen, dass das irgendwann kommen würde. Iris hatte mich vorgewarnt, dass ich sie früher oder später für ihre Bannsprüche würde bezahlen müs-sen.

»Willst du deinen Bruder *wirklich* zurückbekommen?«, fragte Iris. Sie beugte sich dicht zu mir und plötzlich leuchteten ihre Augen vor Erregung. »Bist du bereit, den Preis dafür zu bezahlen?«

Mir blieb keine andere Wahl.

»Okay«, seufzte ich. »Was ist es, Iris? Was soll ich tun?«

22

»Ich will dir nichts vormachen. Was du für mich tun sollst, ist sehr gefährlich«, begann Iris. »Dir könnte das-selbe passieren wie ... deinem Bruder.«

Ich schnappte nach Luft. »Sie meinen, ich könnte ebenfalls verschwinden?«

Sie nickte.

Hinter ihr war Maggie die ganze Zeit auf ihrer Stange hin und her gehüpft. Doch nun wurde die Krähe still, als würde sie zuhören.

»Noch kannst du gehen«, sagte Iris sanft. »Du musst dein Leben nicht riskieren.«

»Doch, ich tu's«, erwidete ich und bemühte mich, das Zittern meiner Beine zu kontrollieren. Ich schlug sie fest übereinander und umklammerte die Armlehnen des Sessels. »Ich muss Mike zurückholen. Sagen Sie mir, was ich zu tun habe.«

Iris seufzte. »Es ist deine Entscheidung. Vergiss das bitte nicht.«

Sie räusperte sich. »Ich habe eine Zwillingsschwester«, erklärte sie. »Sie heißt Paula. Sie lebt in einem alten verlassenen Haus am anderen Ende der Stadt. Es steht in einem hübschen Viertel am Ende der Andover Street. Vielleicht kennst du es ja?«

Bitte? Ich kannte das Haus, von dem sie sprach, allerdings. Es lag in meiner Nachbarschaft. Auf dem Weg zur Schule kam ich jeden Tag daran vorbei. Ein schrecklich düsteres, Furcht erregendes Haus.

Carl nannte es das »tote Haus«. Nicht, weil es etwa voller Gespenster gesteckt hätte – obwohl es wirklich so aussah, als ob es darin spukte. Sondern weil das Haus

226

selbt tot aussah – grau, vermodert und verfallen wie eine Leiche.

»Ihre Schwester lebt in diesem Haus?«, fragte ich. »Ich hätte nicht gedacht, dass es überhaupt bewohnt ist.«

»Sie lebt darin, in der Tat«, sagte Iris mit Nachdruck. »Ich habe schon seit Jahren kein Wort mehr mit ihr gewechselt. Weil sie ein böser Mensch ist. Aber ich habe sie im Auge behalten. Ich weiß, dass sie sich in diesem alten Haus aufhält.«

»Ihre Schwester … ist böse?«, wiederholte ich.

Iris nickte feierlich. »Sie hat die gleichen Kräfte wie ich. Aber sie setzt sie nicht für gute Zwecke ein. Sie nutzt ihre Kraft, um Menschen zu schaden. Sie verwandelt Menschen in Dinge … in Ungeheuer … in Monster … nur so zum Spaß!«

Ein kalter Schauer lief mir den Rücken hinunter. »Wieso erzählen Sie mir von ihr?«, wollte ich wissen.

Iris überging meine Frage. Sie schloss die Augen und fuhr mit ihrer Geschichte fort.

»Ich hatte früher zwei Krähen. Maggie und ihre Schwester Minnie. Minnie ist eine mächtige Krähe, mächtiger als Maggie. Deshalb hat meine Schwester sie mir auch gestohlen!«

Im Käfig an der Wand krächzte Maggie laut, als würde sie Iris' Geschichte verstehen.

Iris beugte sich zu mir. »Wenn du deinen Bruder zurückhaben willst, Vera, dann musst du mir einen Gefallen tun. Du musst ans andere Ende der Stadt, dich in das Haus meiner Schwester schleichen und deinen ganzen Grips benützen – bevor Paula ihre böse Magie gegen dich einsetzt. Und du musst Minnie stehlen und mir zurückbringen!«

»Aber was ist… wenn ich das nicht schaffe?«, fragte ich mit bebender Stimme.

»Ohne Minnie«, antwortete Iris flüsternd, »gibt es keine Möglichkeit, deinen Bruder zurückzubringen.«

»Aber was ist, wenn…?«, presste ich hervor.

Iris zog mich aus dem Sessel hoch und schob mich zur Tür. »Geh jetzt«, drängte sie. »Geh jetzt, Vera. Meine Schwester schläft tagsüber. Darum kann sie ihren bösen Zauber nur nachts einsetzen.«

Ich trat hinaus auf die Straße. »Aber, Iris«, begann ich. »Was ist, wenn ich erwischt werde…«

»Viel Glück.«

Damit schlug sie die Tür des Wohnwagens zu.

23

Vor Carls Haus machte ich Halt. Ich hatte vor, ihn zu bitten, mit mir in das unheimliche alte Haus zu kommen.

Doch er war nicht da. Seine Mutter erinnerte mich daran, dass Carl am Samstagvormittag immer zum Baseballtraining ging.

Also war ich auf mich selbst gestellt.

Während ich die zwei Straßenblocks entlangging, hämmerte mein Herz und meine Beine zitterten, als wären sie aus Gummi.

»Du kannst nicht kehrtmachen«, sagte ich mir. »Du musst es tun. Das *musst* du einfach.«

Ich zwang mich dazu, bis zu dem verlassenen Haus zu gehen, das von hohen Hecken umgeben war.

Es war ein freundlicher, sonniger Morgen. Doch vor dem Haus standen hohe, alte Bäume, die dunkle Schatten über das Anwesen warfen. Ein großer Baum war umgekippt und mitten in den Garten gefallen. Mit seinen verrottenden Wurzeln und der sich abschälenden Rinde lag er hingestürzt zwischen hohem Unkraut wie ein verwesendes Skelett.

Ein löchriger Fensterladen schlug gegen die Hauswand. Alle Fenster an der Hausfront waren zerbrochen. Das Dach hing in der Mitte durch. Auf der Veranda lag ein Haufen alter Zeitungen und bildete einen grauen Hügel.

Nirgends ein Anzeichen von Leben.

Ich holte tief Luft. Dann schlich ich im Schutz der Bäume durch die verwilderte Wiese vor dem Haus. Betrat die vordere Veranda.

Armeen schwarzer Ameisen übersäten den rissigen Boden. Vorsichtig wich ich dem vergilbten Haufen alter Zeitungen aus und ging zur Haustür.

Wie komme ich in dieses Haus hinein?, fragte ich mich.

Ich kann doch nicht einfach klingeln.

In meinem Kopf drehte sich alles und mir war plötzlich schwindelig. Vor lauter Angst.

Ich stützte mich an der Tür ab, um zu verhindern, dass ich hinfiel. Und da schwang die Tür mit einem Knarren auf.

Drinnen war es dunkel. Die hohen Bäume vor den Fenstern ließen kein Sonnenlicht ins Innere dringen.

Ich spähte vorgebeugt in die Eingangshalle. Niemand zu sehen.

Ein übler Geruch von Staub, Schimmel und Verwesung schlug mir entgegen. Was für ein grässlicher Gestank – er war so stark, dass ich zu würgen anfing.

Mit angehaltenem Atem trat ich ins Haus.

Da legte sich mir etwas Klebriges aufs Gesicht.

»Ohhhh!« Ich keuchte. Spinnweben?

Ja. Ich wischte sie mit beiden Händen weg.

Ich schaute mich um. Spinnweben bauschten sich an den Wänden wie Gespenster.

Ich machte einen Schritt. Dann noch einen. Die Dielen knarrten unter mir.

Ich bringe das nicht fertig, sagte ich mir.

Dazu habe ich viel zu viel Angst. Ich schaffe es ja kaum, mich zu bewegen.

Ich kann die Krähe unmöglich stehlen und mich mit ihr aus dem Staub machen, ohne erwischt zu werden.

»*Paula verwandelt Menschen in Ungeheuer*«, hatte Iris gesagt. »*Sie verwandelt Menschen in… Monster.*«

Wo ist Paula?, fragte ich mich.

Ich schlang die Arme um mich, um das Zittern zu unterdrücken. Dann holte ich mehrmals tief Luft und betrat einen langen, dunklen Flur.

Spinnweben streiften mir übers Gesicht und über die Arme. Ich beachtete sie nicht, schaute starr geradeaus und ging vorsichtig weiter. Allmählich gewöhnten sich meine Augen an die Dunkelheit.

Zu beiden Seiten des Korridors sah ich Türen, die offen standen. Dahinter war es dunkel. Nur am Ende des Gangs fiel aus einer Tür ein Lichtrechteck auf den Boden.

Die Arme noch immer um mich geschlungen, zwang ich meine gummiweichen Beine dazu, sich zu bewegen. Langsam, Schritt für Schritt, schlich ich den dunklen Korridor entlang. Auf halbem Weg zu dem erleuchteten Raum am Ende blieb ich stehen. Und lauschte.

Minnie, wo bist du?, fragte ich im Stillen.

Schlag mit den Flügeln. Krächze für mich. Bitte! Gib mir irgendeinen Hinweis.

Stille. Das einzige Geräusch war mein eigener flacher Atem.

Mit einem Seufzer schlich ich den Gang bis zum Ende weiter.

Ich trat in das Lichtrechteck auf dem Boden und blieb stehen.

Ich spähte durch die offene Tür. Ein Vorhang aus silbrigen Spinnweben hing bis zur Hälfte der Tür herab.

Ich bückte mich, um unterhalb der Spinnweben in den Raum zu sehen. Doch viel konnte ich nicht erkennen. Dunkle Gardinen vor einem staubbedeckten Fenster. Graue Tapeten, die abblätterten.

Bist du da drinnen, Minnie? Krächze! Bitte – mach ein Geräusch!

Nichts. Kein Mucks.

Noch einmal atmete ich tief ein. Und trat auf die Tür zu.

Ich duckte mich unter den Spinnweben hindurch, betrat das Zimmer – und keuchte.

24

Ich ließ den Blick über das zerbrochene Mobiliar und den staubbedeckten fleckigen Teppich wandern. Eine Glühbirne hing an einem langen Kabel von der gesprungenen Decke herab.

Dann starrte ich den Vogelkäfig an, der an der gegenüberliegenden Wand auf dem Kaminsims stand.

Minnie!

Die Krähe schaukelte in dem kleinen Drahtkäfig auf einer Stange. Sie legte den Kopf schief, als ich den Raum betrat, schaukelte aber weiter.

Ja! Der Anblick des Vogels munterte mich auf. Gab mir Hoffnung. Ich war so nah am Ziel. Nun konnte ich mir die Krähe schnappen und davonrennen…

Ein lautes Husten ließ mich erstarren.

Ich schlug beide Hände vor den Mund, um nicht loszuschreien, und wandte mich dem Geräusch zu.

Vor dem Kamin stand ein schwarzer, zerschlissener Ledersessel, aus dem schon das gelbe Füllmaterial herausquoll. Und darin saß eine schlafende Gestalt.

Schlief sie wirklich? Das konnte ich nicht sicher sagen. Ihr langes schwarzes Haar bedeckte ihr Gesicht vollständig. Paula.

Sie trug ein violettes Kleid, genau wie ihre Schwester. Ein Arm hing über die Seitenlehne des Sessels herab. Der Kopf war nach vorne geneigt. Er hob und senkte sich langsam und regelmäßig.

Ein leises Schnarchen war zu hören.

Also schlief sie *tatsächlich*!

Ich versuchte angestrengt, ihr Gesicht zu sehen. Doch die langen schwarzen Haarsträhnen bedeckten es wie ein schwerer Vorhang.

Eine Weile blieb ich vollkommen still stehen, beobachtete, wie ihr Kopf sich sanft auf und ab bewegte, und lauschte den leisen Schnarchgeräuchen.

Okay, Vera, sie schläft, sagte ich mir.

Es sollte nicht allzu schwierig sein, dir den Vogel zu schnappen. Du durchquerst den Raum, nimmst den Vogelkäfig und siehst zu, dass du hier so schnell wie möglich rauskommst.

Ja, das schien wirklich einfach zu sein. Doch plötzlich, während ich auf den Kamin zuschlich, kam es mir so vor, als wäre der Vogelkäfig eine *Ewigkeit* entfernt.

Ich tat einen Schritt und dann noch einen.

Die Dielen ächzten geräuschvoll.

Paula bewegte sich im Sessel und stöhnte.

Meinen Knie wurden weich. Beinahe wären sie eingeknickt.

Keine Aufregung!, befahl ich mir selbst.

Ich beobachtete, wie Paulas Kopf sich auf und ab bewegte. Nun schlief sie wieder tief und fest.

Ich werde über den Boden gleiten, beschloss ich. Vielleicht knarren die Dielen dann nicht.

Langsam und vorsichtig schob ich mich durch den Raum.

Als ich den Käfig erreichte, zitterte ich so stark, dass ich mich am Kaminsims festhalten musste.

Und da kam mir der ganze Sims entgegen!

Nein! Ich richtete ihn wieder auf und stemmte die Schulter dagegen.

Puh! Der Sims stand wieder fest an der Wand.

Die Krähe legte den Kopf schief und beäugte mich mit ihren schimmernden schwarzen Augen. Sie sträubte die Federn.

»Pssssst«, wisperte ich und hob dann den Käfig vom Kaminsims herunter. Er war schwerer, als ich gedacht hatte.

Ich packte den Käfig mit beiden Händen, drehte mich lautlos um und machte mich, einen Fuß vor den anderen über die alten Dielen schiebend, auf den Rückweg.

Fast geschafft, dachte ich, die Augen auf die offene Tür geheftet.

Ich bin beinahe draußen.

Ich hatte den halben Weg zur Tür zurückgelegt, als ich ein Rascheln hörte. Und ein Husten.

Ich fuhr herum und sah noch, wie Paula aus dem Sessel aufsprang.

Sie schoss wie der Blitz durch den Raum und versperrte mir den Weg.

»Wo willst du damit hin?«, zeterte sie.

25

Ich stieß einen Schrei aus.

Der Käfig fiel mir aus den Händen und landete scheppernd auf dem Boden. Er blieb auf der Seite liegen.

Die Krähe krächzte und schlug wie wild mit den Flügeln.

»Wer *bist* du?«, kreischte Paula.

»Ich … ich … ich …« Ich konnte nicht sprechen.

Sie trat dicht an mich heran und hob beide Hände an ihr langes schwarzes Haar, das ihr Gesicht bedeckte.

Dann strich sie sich mit einer raschen Bewegung das Haar aus dem Gesicht. Es sah aus wie ein Vorhang, der sich teilt.

Ich schaute ihr ins Gesicht. Entsetzt und ungläubig.

»Mike …!«, rief ich. »Mike! Das bist *du*! Du … du …!«

Mein Entsetzen verwandelte sich rasch in Wut. Was für ein grässlicher, schrecklicher Scherz war das denn?

Er warf den Kopf zurück und lachte ausgelassen. Er schlug sich sogar auf die Schenkel unter dem violetten Kleid. Als er sich wieder etwas beruhigt hatte, zog er sich die Perücke vom Kopf und schleuderte sie mir entgegen.

Die Perücke flog mir gegen die Brust, fiel herunter und landete neben dem Vogelkäfig. Die Krähe krächzte wieder laut.

»Was… was *tust* du hier?«, brachte ich schließlich mit hoher, schriller Stimme heraus.

»Ich habe auf dich gewartet«, antwortete er und verzog das Gesicht zu einem widerwärtigen, triumphierenden Grinsen.

»Ich… ich bin hierher gekommen, um dich zu *retten*!«, rief ich.

»Ich weiß!«, feixte er. »Das ist ja das Beste daran!«

Ich schluchzte auf. »Du meinst…? Du meinst…?«

Ich starrte ihm ins grinsende Gesicht. Am liebsten hätte ich ihm eine verpasst und noch eine und noch eine, bis ihm das Grinsen verging.

Wieso war er hier? Wer hatte ihm die Krähe und die Perücke und das violette Kleid gegeben?

»Hat Iris…?«, begann ich. Ich war zu wütend, um sprechen zu können.

»Iris hat alles arrangiert«, erklärte Mike, während sein Grinsen endlich verschwand. Er zupfte vorne an seinem Kleid herum. »Sie hat mir das hier gegeben und die Perücke.«

»Und sie hat dich hierher geschickt, damit du mir einen Schrecken einjagen kannst?«, wollte ich wissen.

Mike nickte. »Ja. Das war meine Rache.«

Ich glotzte ihn, am ganzen Leib zitternd, an. »Wie bitte?«

»Kapierst du's nicht, Vera?«, sagte er. »Das Ganze war *meine* Rache.«

Ich starrte ihn einfach nur an. Ich konnte keinen klaren Gedanken fassen und auch nicht sprechen.

Seine Rache? Wie konnte es Mikes Rache sein?

»Ich habe die Zeitschrift auf deiner Kommode entdeckt«, erklärte Mike. »Zum Glück hatte ich beschlossen, in deinem Zimmer ein bisschen herumzuschnüffeln! Ich habe die Anzeige gesehen – und da war mir klar, dass du sie gegen mich benützen würdest. Deshalb bin ich noch vor dir zu Iris gegangen!«

»Du… du…« Ich drohte ihm mit der Faust.

Das konnte doch nicht wahr sein. Das war unmöglich!

»Erinnerst du dich an die Juckerei, Vera?«, fuhr Mike fort. »Erinnerst du dich an die Haare, die wuchsen und wuchsen?«

»Wie sollte ich das vergessen haben?«, stöhnte ich.

»Nun, Iris hat es gar nicht vermasselt«, erklärte mir Mike voller Schadenfreude. »Sie hat dich mit *Absicht* mit diesen Flüchen belegt!«

»O neeeiiin!«, heulte ich.

Mike lachte. »Du hast gedacht, du würdest deine Rache kriegen. Dabei war es die ganze Zeit *meine* Rache!«

»Und Minnie?«, rief ich kläglich und deutete auf die Krähe. »Was ist mit Paula und Minnie?«

»Eine ausgedachte Geschichte«, höhnte Mike. »Es gibt keine Paula. Und das da ist nur eine ganz gewöhnliche Krähe aus dem Tiergeschäft. Ohne irgendwelche besonderen Kräfte. Aber du bist darauf hereingefallen, so viel steht fest.«

»Ja, das bin ich«, gab ich betrübt zu.

Plötzlich fühlte ich mich schwach. Kraftlos und müde.

Und übertölpelt.

»Wieso?«, fragte ich ihn mit bebender Stimme. »Wieso hat Iris mir das angetan?«

Wieder grinste Mike spöttisch. »Weil ich sie bezahlt habe, natürlich. Ich habe ihr dreihundert Dollar gegeben. Die Hälfte des Geldes, das ich im Sommer verdient habe.«

Ich seufzte geknickt. »Du hast gewonnen«, murmelte ich niedergeschlagen. »Du hast gewonnen, Mike.«

»Das will ich meinen!«, rief er aufgekratzt, warf den Kopf zurück und brach in ein langes Siegesgeschrei aus.

»Ich bin umwerfend! Bin ich nicht umwerfend? Ich bin so glücklich, dass ich einen Flickflack springen könnte!«, rief er.

Doch er machte keinen Flickflack. Stattdessen schlug er mir so fest er konnte auf den Rücken. Und dann trollte er sich aus dem Zimmer.

Ich konnte ihn noch lange lachen und johlen hören, als er aus dem Haus ging und sich entfernte.

Ich schätze, er hat eine Menge zu bejubeln, dachte ich betrübt.

Ich bin eine Verliererin.

Eine totale Verliererin.

Ich hob den Vogelkäfig vom Boden auf. Die Krähe krächzte und schlug mit den Flügeln.

»Eine Verliererin«, murmelte ich vor mich hin.

Oder doch nicht?

Plötzlich kam mir eine Idee.

Eine gute Idee. Eine *sehr, sehr gute* Idee.

26

»Mike? Bist du da unten? Kannst du mal kurz raufkommen?«

Es war zwei Tage nach dieser grässlichen Szene in dem verlassenen Haus. Mom und Dad waren den ganzen Tag unterwegs. Mike war wieder einmal der Herr im Haus.

Ich kniete oben auf dem Treppenabsatz, hielt die Krähe in der Hand und rief zu meinem Bruder hinunter.

»Mike? Kannst du mal kurz kommen?«

Ich hörte ihn unten herumspazieren. Ich streichelte die Krähe und wartete.

Einige Sekunden später erschien Mike unten am Fuß der Treppe. Er schaute verärgert zu mir herauf. »Was ist los, Vera? Ich bin beschäftigt.«

»Ich wollte dir nur etwas zeigen«, sagte ich.

»Mir *was* zeigen? Hast du etwa gelernt, wie man winke, winke macht?«

Mike lachte über seinen eigenen blöden Witz. Doch seine Miene änderte sich rasch, als er die Krähe auf meiner Hand sitzen sah.

Er runzelte die Stirn. »Was willst du denn mit diesem dummen Vogel? Wissen Mom und Dad, dass du ihn ins Haus gebracht hast?«

»Nein. Aber ...«

»Sie werden dir nicht erlauben, dass du ihn behältst«, sagte er biestig. »Ich werde ihnen erzählen, dass du ihn hier oben versteckst.«

»Ich wollte dir nur etwas zeigen«, wiederholte ich. »Erinnerst du dich noch an unsere Begegnung in dem verlassenen alten Haus?«

Er lachte. »Die werde ich nie vergessen! Das war der beste Tag meines Lebens!«

»Also ... kannst du dich daran erinnern, dass du gesagt hast, du würdest am liebsten einen Flickflack springen?«

Er nickte. »Klar. Und weiter?«

Ich schloss die Augen und strich der Krähe dreimal über den Rücken.

»Dann mal los, Mike«, sagte ich. »Spring ein paar Flickflacks.«

Mike lachte wieder. Er schüttelte den Kopf und schaute mich verächtlich an.

»Was soll das werden, Vera? Diese doofe Krähe kann dir nicht helfen…«

»*AAAAHHH!*« Ein gequälter Schrei drang aus Mikes Kehle hervor. Seine Augen traten hervor und seine Arme schossen in die Höhe.

Er machte einen lausigen Handstandüberschlag, einen Flickflack.

Seine Beine gaben leicht nach, als er aufkam. Aber er konnte sich mit Mühe aufrecht halten.

»Was…?« Vor Schreck blieb ihm der Mund offen stehen. Er schüttelte heftig den Kopf, als wollte er einen schrecklichen Traum vertreiben.

»Mach noch einen«, sagte ich. »Oder besser noch, spring den ganzen Tag.«

»Nein! Warte!«, protestierte er.

Doch seine Hände hoben sich schon über den Kopf und sein Rücken beugte sich nach hinten.

WUUUUPP!

Mike machte einen weiteren Handstandüberschlag.

Wieder landete er auf wackligen Beinen. Ich konnte den Schock auf seinem Gesicht sehen. Sein ganzer Kopf färbte sich allmählich rot von der Anstrengung.

»Warte…«, keuchte er.

Doch seine Arme flogen hoch, er beugte sich zurück und schon sprang er den nächsten Flickflack rückwärts.

Und noch einen.

Ich lachte. Endlich war *ich* diejenige, die lachte!

»Weißt du was, Mike?«, rief ich zu ihm hinunter. Ich wartete, bis er seinen nächsten Flickflack beendet hatte, dann erzählte ich ihm den Rest:

»Ich bin gestern noch einmal heimlich zu Iris' Wohnwagen zurückgekehrt. Als sie rausgegangen ist, habe ich mich hineingeschlichen und die Krähen vertauscht. Ich habe jetzt die echte. Ich habe Maggie.«

»Bitte…«, flehte Mike.

Wieder sprang er einen Flickflack. Und gleich darauf noch einen.

Da klingelte es an der Haustür.

27

Ich lief die Treppe hinunter, um zu öffnen.

»Lass mich aufhören!«, bettelte Mike. »Du hast deine Rache gehabt. Bitte, Vera…«

Er sprang seine Flickflacks vor der Tür und versperrte mir den Weg.

Die Türglocke klingelte erneut.

Ich schob Mike ins Wohnzimmer und öffnete die Tür.

»Carl, hallo!«, rief ich. »Komm rein.«

»Wie geht's?«, fragte Carl. Er trat ein – und glotzte mit offenem Mund, als Mike den nächsten Flickflack sprang.

Mike landete mit einem lauten Stöhnen. »Bitte, Vera…«, winselte er.

Wieder machte er einen Flickflack.

»Wieso tut er das?«, fragte Carl und rückte verwundert seine Brille auf der Nase zurecht. Wahrscheinlich dachte er, er würde sich das Ganze nur einbilden!

Ich hielt die Krähe hoch. »Ich habe Maggie«, verkündete ich. »Und endlich bekomme ich meine Rache.«

»Cool«, antwortete Carl.

Wieder vollführte Mike sein akrobatisches Kunststück. Er stieß dabei gegen den Wohnzimmertisch und warf eine Porzellanvase um.

»Sei vorsichtig!«, schnauzte ich ihn an. »Pass doch auf, was du tust!«

Carl und ich lachten beide.

Das war fies. Aber es war auch echt komisch.

Und es war nicht halb so gemein wie das, was Mike immer mit mir angestellt hatte.

»Wie bist du denn an die Krähe gekommen?«, wollte Carl wissen.

»Hab sie geklaut«, antwortete ich. »Na ja, eigentlich habe ich sie nur gegen eine andere Krähe eingetauscht.«

Carls Lächeln verschwand. »Wird Iris nicht hinter dir her sein?«

»Das kann sie gar nicht«, erwiderte ich. »Sie hat doch keine Ahnung, wo ich wohne. Ich habe ihr nie meine Adresse gegeben.«

Wir sahen Mike noch bei ein paar weiteren Flickflacks zu. Sein Gesicht war knallrot angelaufen und schweißnass. Sein Atem ging pfeifend und er ächzte und stöhnte bei jedem Sprung.

»Das wird langsam langweilig«, seufzte ich. »Wir sollten etwas anderes ausprobieren.«

»Klar. Cool«, sagte Carl. »Was zum Beispiel?«

Ich hob Maggie vor mein Gesicht. »Hmmm...« Ich dachte angestrengt nach.

Meine Augen wanderten zum Fenster. Ich konnte Moms Garten draußen sehen.

»Vielleicht könnten wir Mike mit Maggies Hilfe in irgendeine Kreatur verwandeln«, überlegte ich laut.

»Du meinst, in ein Tier oder so etwas?«, fragte Carl.

Mike stöhnte und sprang einen weiteren Flickflack.

»Ich dachte dabei an ein Insekt«, antwortete ich. Ich konnte nicht verhindern, dass sich ein Grinsen auf meinem Gesicht breit machte. »Oder eine Gartenschnecke«, erklärte ich Carl. »Du weißt schon. Diese fetten, schleimigen Nacktschnecken in Moms Garten.«

»Mach schon. Probier's einfach aus«, drängte Carl.

»Nein!«, bettelte Mike völlig außer Atem. »Vera – bitte!«

Ich schloss die Augen und strich über Maggies Rücken, einmal, zweimal... dreimal.

Als ich die Augen wieder öffnete, war Mike verschwunden.

Ich blinzelte. »O wow!«, rief ich. »Er ist ... fort!«

»Nein, sieh mal!« Carl rannte ins Wohnzimmer und zeigte aufgeregt auf den Teppich. »Du hast es geschafft, Vera! Sieh nur!«

Ich sah einen glänzenden Fleck auf dem Teppich. Nein, Moment mal. Das war gar kein glänzender Fleck.

Das war eine Nacktschnecke.

Mike zog eine Spur weißen Schleims hinter sich her, während er sich im Schneckentempo voranbewegte.

»O wow!« Obwohl ich es mit eigenen Augen sah, konnte ich es einfach nicht glauben. Auf diese Rache hatte ich lange gewartet. Und ich hatte vorher eine Menge Furcht erregender Erlebnisse durchmachen müssen. Doch das alles war es wert gewesen.

Ich reichte die Krähe Carl. Dann ließ ich mich auf Hände und Knie nieder und schob das Gesicht ganz dicht an die Schnecke heran.

»Was ist das für ein Gefühl, Mike?«, rief ich zu ihm hinunter. »Wie fühlt man sich so feucht und schleimig?«

Ich starrte auf ihn hinab. Irgendwie erwartete ich, dass er mir darauf antworten würde.

Aber natürlich konnte er keinen Laut von sich geben. Es war eine Schnecke.

»Du bist jetzt echt hässlich«, sagte ich zu ihm. »Ich wette, du vermisst dein ach so schönes Haar, was?«

Mike glitt über den Teppich und zog eine dünne Schleimspur hinter sich her.

»Ich wette, du vermisst es auch, den Obermacker spielen zu können, hm?«, rief ich ihm zu. »Nun... gewöhn dich daran. Jetzt habe ich die Krähe. Das bedeutet, dass du von jetzt an unter meiner Kontrolle stehst!«

Ich fragte mich, ob Mike mich hören konnte. Und ob er überhaupt noch die Menschensprache verstand.

Ich richtete mich auf. Carl blickte kopfschüttelnd auf Mike hinunter. »Vielleicht sollten wir ihn lieber zurückverwandeln«, murmelte er. »Das hier ist echt zu gemein. Und irgendwie ist es auch gefährlich, oder?«

»Gefährlich?«, erwiderte ich. »Du meinst, wir könnten ihn verlieren? Oder vielleicht auf ihn treten?«

Carl nickte.

»Na gut«, stimmte ich ihm zu. Ich nahm Carl die Krähe aus der Hand. »Lass uns ihn in etwas anderes verwandeln. In etwas, womit man ein bisschen mehr Spaß hat. Wähl etwas aus. Du bist an der Reihe.«

»Wie wär's mit einem Frosch?«, schlug Carl vor.

»Okay. Großartig! Frosch ist gut!«, rief ich. »Wir können ihn die ganze Treppe hinunterhüpfen lassen.«

»Ja. Und wir können ihn zwingen, Fliegen zu fressen«, setzte Carl hinzu.

»Ist das nicht irre?«, schwärmte ich. »Rache ist süß!«

Ich hob Maggie vor mein Gesicht und schloss die Augen. Ich wünschte mir, dass Mike ein grüner, hüpfender Frosch werden sollte. Dann strich ich Maggie dreimal über den Rücken.

Carl und ich blickten auf die fette Nacktschnecke auf dem Teppich hinunter, die vor unseren Augen zu wachsen begann.

Es dauerte nur wenige Sekunden, bis Mike sich von einer Schnecke in einen Frosch verwandelt hatte. Seine lange Zunge schoss hervor. Er glotzte mit den feuchten Glubschaugen eines Frosches zu uns hoch.

»Er sieht traurig aus!«, rief ich und lachte schallend.

»Das ist der traurigste Frosch, den ich je gesehen habe«, pflichtete Carl mir bei.

»Sei nicht traurig«, sagte ich zu Mike. »Oder ich verwandle dich in etwas noch Schlimmeres!« Ich gab ihm einen kleinen Schubs. »Hüpf los. Zeig uns, wie du springen kannst!«

»*Quak, quak.*« Es klang, als würde er protestieren. Doch dann machte er ein paar Hüpfer über den Teppich.

Ich wollte ihm gerade noch einen Schubs geben, als es an der Tür klingelte.

»Wer kann das sein?«, rief ich verwundert. Ich stand auf, ging zur Haustür und öffnete sie.

»Iris!«, hauchte ich.

Sie starrte mich wütend an und warf ihr schwarzes Haar zurück. »Vera, ich glaube, du hast etwas, was mir gehört«, knurrte sie.

Ich versuchte die Tür zuzuschlagen.

Doch sie stellte schnell den Fuß in die Öffnung und drängte sich ins Haus.

Sie atmete schwer. Auf ihrem normalerweise bleichen Gesicht lag die Zornesröte. Ihre dunklen Augen loderten.

»Wie ... wie haben Sie mich gefunden?«, stammelte ich. »Ich habe ihnen doch nie meine Adresse gegeben.«

»Dein Bruder hat mich mit einem Scheck bezahlt«, erklärte sie. »Und darauf stand eure Adresse.« Sie senkte den Blick auf Maggie.

Der Vogel krächzte laut und schlug mit den Flügeln.

»Wo ist dein Bruder, Vera?«, wollte Iris wissen.

»Also ...« Ich deutete auf den Frosch auf dem Wohnzimmerteppich.

»Ich habe dich davor gewarnt, mit Maggie Unfug zu treiben«, wetterte Iris. »Oder habe ich dich nicht gewarnt?«

Ich nickte. »Ja, aber ich musste meine Rache bekommen. Sie haben mich betrogen, Iris. Sie ...«

Ihre Miene wurde verschlossen. Sie funkelte mich eiskalt und drohend an.

»Stehlen ist ein schweres Verbrechen, Vera!«, fauchte sie. »Gib mir die Krähe. Ich werde dir eine Lektion erteilen, die sich gewaschen hat.«

»Nein – bitte nicht!«, rief ich.

Doch Iris sprang mit einem lauten Schrei schnell auf mich zu und riss mir die Krähe aus den Händen, ehe ich etwas dagegen tun konnte.

28

Iris hielt sich Maggie vors Gesicht. »Ich habe dich gewarnt, Vera«, wiederholte sie kalt. »Du hättest nicht mit Kräften herumspielen dürfen, von denen du nichts verstehst.«

»Bitte, Iris«, flehte ich. »Es tut mir Leid, dass ich die Krähe geklaut habe. Aber ich musste es einfach tun. Ich...«

»Schweig!«, schrie sie erbost.

Carl und ich wichen beide einen Schritt zurück.

»Dir muss deutlich gemacht werden, dass es falsch ist, zu stehlen«, sagte Iris. Sie schaute auf Mike hinab. »Ich weiß, was ich tun werde. Ich werde dafür sorgen, dass du dich deinem Bruder da unten auf dem Boden anschließt.«

»Sie meinen, Sie verwandeln mich ebenfalls in einen Frosch?«, sagte ich erschrocken.

Iris nickte. »Ich verwandle dich *und* deinen Freund in Frösche. Schließlich möchte ich nicht, dass du dich einsam fühlst.«

»He!«, rief Carl aufgebracht. »Was habe *ich* denn getan? Ich habe Ihre Krähe nicht gestohlen!«

»Tun Sie Carl nichts!«, bat ich sie. »Er hat nichts getan. Ehrlich!«

»Ich hoffe, dass ihr alle eure Lektion über Rache gelernt habt«, sagte Iris. »Und die Lektion ist: Rache ist süß, aber man sollte sie nicht auf eigene Faust ausüben. Das sollte man immer Profis überlassen.«

»Iris – bitte! Bitte tun Sie's nicht!«, bettelte ich noch einmal.

»Bitte verwandeln Sie uns nicht in Frösche!«, flehte Carl.

Doch sie schloss ungerührt die Augen und begann, über den Rücken der Krähe zu streichen.

29

Wie gebannt sah ich zu, wie sie Maggie über den Rücken strich. Einmal, zweimal …

Da sprang ich vor und riss ihr die Krähe aus den Händen.

Iris stieß eine erschrockenen Schrei aus und schlug die Augen auf. Sie griff mit beiden Händen nach Maggie, versuchte sie sich zurückzuholen.

Doch ich wich, die Krähe fest im Griff, rasch vor ihr zurück.

»Tut mir Leid, Iris«, rief ich. »Aber ich kann nicht zulassen, dass Sie uns in Frösche verwandeln.«

Ich hob die Krähe.

Iris legte schockiert die Hände an die Wangen. »Was hast du vor?«, wollte sie wissen.

»Ich schätze, ich werde an Ihnen ebenfalls Rache nehmen«, erklärte ich ihr.

»Vera, ich warne dich…«, begann Iris. »Tu's nicht…«
Aber ich ließ ihr keine Chance, sich Maggie zurückzuholen.

Ich schloss die Augen und wünschte mir, dass Iris sich in einen Frosch verwandelte.

Dann strich ich Maggie über den Rücken, einmal, zweimal… und ein drittes Mal.

Als ich die Augen öffnete, sah ich, wie mich Iris voller Entsetzen anstarrte. »Was hast du getan?«, schrie sie.

»Ich habe Sie in einen Frosch verwandelt«, erklärte ich ihr.

»Aber du kennst doch die Regeln gar nicht!«, protestierte sie. »Ich habe dich gewarnt. Es gibt Regeln.«

Ich schaute sie höhnisch an. »Was für Regeln?«

»Hast du gewusst, dass man mit Maggies Hilfe nur *drei* Wünsche pro Tag aussprechen darf? Und dass der *vierte* Wunsch auf einen selbst zurückfällt?«

»Was?«, keuchte ich. »Nur drei Wünsche?«

»Wie viele Wünsche hast du denn heute schon ausgesprochen, Vera?«, fragte Iris mich.

Ich zählte sie in Gedanken auf:

1) Flickflacks für Mike
2) Mike in eine Schnecke verwandelt

3) Mike in einen Frosch verwandelt.

»Wie viele Wünsche hast du schon ausgesprochen?«, wiederholte Iris. »Sag es mir, Vera? Wie viele?«

Ihre Stimme klang plötzlich, als käme sie von ganz weit her.

»*Quak*«, antwortete ich. »*Qua-ak, quak.*«

Und dann hüpfte ich über den Teppich zu meinem Bruder.

Vielleicht werde ich mich an Iris doch nie rächen, dachte ich.

Ich sah eine saftige Fliege, die neben der Couch an der Wand saß. Mmh, lecker!

Sie schien mir viel wichtiger zu sein als irgendeine blöde Rache.

Alle Bücher ...

1. Der Spiegel des Schreckens
OMNIBUS 20149

2. Willkommen im Haus der Toten
OMNIBUS 20150

3. Das unheimliche Labor
OMNIBUS 20151

4. Es wächst und wächst und wächst ...
OMNIBUS 20152

5. Der Fluch des Mumiengrabs
OMNIBUS 20153

6. Der Geist von nebenan
OMNIBUS 20236

7. Es summt und brummt – und sticht!
OMNIBUS 20308

8. Die Puppe mit dem starren Blick
OMNIBUS 20262

9. Nachts, wenn alles schläft ...
OMNIBUS 20263

10. Der Gruselzauberer
OMNIBUS 20355

11. Die unheimliche Kuckucksuhr
OMNIBUS 20356

12. Die Nacht im Turm der Schrecken
OMNIBUS 20023

13. Meister der Mutanten
OMNIBUS 20396

14. Die Geistermaske
OMNIBUS 20397

15. Die unheimliche Kamera
OMNIBUS 20398

16. ... und der Schneemensch geht um
OMNIBUS 20399

17. Der Schrecken, der aus der Tiefe kam
OMNIBUS 20417

18. Endstation Gruseln
OMNIBUS 20418

19. Die Rache der Gartenzwerge
OMNIBUS 20419

20. Der Geisterhund
OMNIBUS 20432

21. Die Wut der unheimlichen Puppe
OMNIBUS 20463

22. Mein haarigstes Abenteuer
OMNIBUS 20464

23. Gib Acht, die Mumie erwacht
OMNIBUS 20465

24. Wer die Geistermaske trägt
OMNIBUS 20460

25. Der Werwolf aus den Fiebersümpfen
OMNIBUS 20461

26. Die unheimliche Puppe kehrt zurück
OMNIBUS 20462

27. Es wächst weiter
OMNIBUS 20537

28. Der Kopf mit den glühenden Augen
OMNIBUS 20538

29. Hühnerzauber
OMNIBUS 20539

30. Wenn das Morgengrauen kommt
OMNIBUS 20540

31. Ich kann fliegen!
OMNIBUS 20562

32. Mein unsichtbarer Freund
OMNIBUS 20593

33. Der Schreckensfisch
OMNIBUS 20596

34. Die Geisterschule
OMNIBUS 20598

35. Das verwunschene Wolfsfell
OMNIBUS 20604

36. Um Mitternacht, wenn die Vogelscheuche erwacht
OMNIBUS 20655

37. Der Vampir aus der Flasche
OMNIBUS 20657

38. Der Schneemann geht um
OMNIBUS 20659

39. Die Geisterhöhle
OMNIBUS 20694

40. Panikpark
OMNIBUS 20695

41. Bei Anruf Monster
OMNIBUS 20696

42. Die Monster vom Fluss
OMNIBUS 20697

43. Fünf x Ich
OMNIBUS 20711

44. Rache ist ...
OMNIBUS 20719

45. Spürst du die Angst?
OMNIBUS 20722

46. Der Ring des Bösen
OMNIBUS 20728

47. Der Werwolf ist unter uns
OMNIBUS 20458

48. Das Versteck der Mumie
OMNIBUS 20732

49. Bitte lächeln!
OMNIBUS 20923

50. Das Geisterauto
OMNIBUS 20926

51. Der Geist ohne Kopf
OMNIBUS 20930

52. Das Geisterpiano
OMNIBUS 20932

53. Es atmet
OMNIBUS 20937

54. Fürchte dich sehr!
OMNIBUS 20941

55. Der Geist im Spiegel
OMNIBUS 20968

56. Das Biest kommt in der Nacht
OMNIBUS 20982

57. Das Phantom in der Aula
OMNIBUS 20336

58. Das Sumpfmonster
OMNIBUS 21135

59. Vollmondfieber
OMNIBUS 21140

60. Die Nacht der glühenden Kürbisse
OMNIBUS 21143